16,95

Tijgerlelie

Danique Gimbrère en Anne Swartjes

GheringBoo

D0306325

Openbare
Bibliotheek
Erpe-Mere

2011/457/Adol

ontwerp omslag	Jeroen Carelse (www.carelse.com)
ontwerp binnenwerk	Denise Ghering BNO, Amsterdam
foto voorzijde omslag	Anne Swartjes
foto auteurs	Rianne van den Heuvel (www.fotostudio7.nl)
gedicht 'Tijgerlelie'	Danique Gimbrère
drukker	HooibergHaasbeek, Meppel
uitgever	GheringBooks, Utrecht

ISBN	978-90-78839-09-5
NUR	284/285
trefwoorden	jeugdroman, Young Adults, vriendschap, spannend

Alle rechten voorbehouden/all rights reserved

Niets uit deze uitgave mag worden vermenigvuldigd, opgeslagen in een geautomatiseerd gegevensbestand of openbaar gemaakt in enige vorm of op enige wijze, hetzij elektronisch, mechanisch, door fotokopieën, opnamen of enige andere manier, zonder voorafgaande schriftelijke toestemming van de uitgever en de auteurs.

www.gheringbooks.nl

© copyright 2010, Danique Gimbrère en Anne Swartjes

Tijgerlelie

Jij met je zacht teruggetrokken manieren
Op een treurige lentedag
Je bloeit in waarheid en in deugd
En wanneer het menselijk hart bloedt
Het mooiste van allemaal
Overwoekerd met leugens
Als een donkerrode perfectie
bloei jij in de schaduw van de dood
En vertelt me de woorden die je vandaag
of morgen niet zeggen zou

Geïnspireerd op:

The Lily Of The Valley door Paul Laurence Dunbar (1872-1906)

Voor onze ouders,

die altijd in ons geloofd hebben

Proloog

Ik heb altijd gedacht dat de wetenschap iets is waar we op kunnen vertrouwen. Iets dat ons beschaafd maakt, iets dat ons vooruit helpt. En niet dat de honger naar kennis ons in beesten kan veranderen. Noem me naïef, maar ik had nooit gedacht dat diezelfde ontdekkingen waar we mee vooruitgaan in de maatschappij ook ten koste gaan van mensenlevens. Nee, dat zeg ik verkeerd. Van andere levens. Ik had de wetenschap nooit gezien als iets dat zowel geeft als neemt.

Ik had er niet verder naast kunnen zitten. Dat heb ik in mijn leven wel ondervonden. Na negen jaar heb ik besloten mijn verhaal op te schrijven, voordat ik het me straks niet meer herinner of dat ik tot de vreselijke conclusie kom dat ik het me misschien allemaal verbeeld heb. Wetenschap, we kunnen niet zonder, en toch zou ik soms willen van wel.

1. Anders

'Carter Johnson!'
Verstoord keek ik op van mijn tekening en gluurde enigszins betrapt naar meneer Wilson, mijn leraar biologie.
'Is dat misschien iets wat je met ons wil delen?'
Het was geen vraag, hij hield zijn hand al op.
'Ik weet niet zeker of u dit wel wilt zien, meneer.' Ik sneerde het laatste woord en hoorde Jenniffer Green naast me zachtjes giechelen. Alle ogen waren nu op mij gericht, zoals ik het het liefst had.
'Wat je daar ook gemaakt hebt, Carter, ik weet zeker dat iedereen het reuze interessant zal vinden,' zei meneer Wilson.
'O, dat zullen ze zeker,' antwoordde ik. Zonder twijfel. Ik stribbelde verder niet tegen en overhandigde hem de tekening. Hij moest toch beseffen dat dit te makkelijk ging? Nieuwsgierige leerlingen, waar meneer Wilson met zijn rug naar toe stond, rezen voorzichtig een stukje omhoog om over zijn schouder naar de tekening te kijken. Zoals ik verwachtte, barstte mijn beste vriend Arthur Murray meteen in lachen uit, gevolgd door het gegiechel en gegrinnik van de rest van mijn klasgenoten. De karikatuur die ik van meneer Wilson had gemaakt, was dan ook erg goed gelukt! Met zijn bril scheef en natuurlijk zijn al veel te grote neus nog eens drie keer uitvergroot, hoe hij zenuwachtig op zijn voeten heen en weer wipte als de klas weer eens onrustig was, hoe het speeksel uit zijn mond vloog als hij een driftbui had. Ik was er trots op. Een klein kunstwerkje, al zeg ik het zelf.
Meneer Wilson daarentegen liep paars aan. Iedereen die de tekening had gezien, lag nu lachend dubbelgevouwen over zijn tafel. Andere deden nog een wanhopige poging om te kijken wat er zo grappig was. Ik voelde een kleine blos van trots op mijn wangen verschijnen. Het voelde altijd goed om voor een opkikkertje te zorgen, iets waar ik talent voor had. Ik zorgde vaak voor dit soort situaties, alleen deze was onverwachts geweest, meestal plande ik ze zorgvuldig.
Meneer Wilson verscheurde mijn kunstwerk in kleine snippertjes. Het gelach verstomde in een verontwaardigd gemompel.
'Nu moet ik weer opnieuw beginnen!' riep ik uit.
Meneer Wilson wees naar de deur, zijn wijsvinger trillend van woede.
'Eruit,' siste hij met opeengeklemde kaken.

Ik deed mijn mond open om te protesteren, om misschien wel een hele rij verwensingen op te sommen voor het vernietigen van mijn creatie, maar meneer Wilson kende me al te lang om nog voor mijn praatjes te vallen.

'Eruit, nú!' brulde hij, voor ik ook maar aan mijn verdediging kon beginnen.

Haastig en mopperend veegde ik mijn spullen in mijn tas en liep de klas uit. Van alle scholen die er in Londen waren, van alle leerlingen die door meneer Wilson gekweld konden worden, was ik natuurlijk weer degene die gedwongen was het met hem uit te houden. Onderweg naar mijn afdelingsleider zakte ik weg in zelfmedelijden en probeerde te tellen hoe vaak ik er nu al uit was gestuurd. Met een zucht kwam ik erachter dat ik daar drie handen voor nodig had.

Er verscheen een klein glimlachje op mijn gezicht zodra ik terugdacht aan de reactie van de klas. Ik had wel eens betere stunts uitgehaald, maar vooral Jenniffer had het erg amusant gevonden en dat streelde mijn ego. Ik vervolgde de weg naar mijn ondergang, dit keer grijnzend, met de gedachte in mijn achterhoofd hoe ik straks door mijn medeklasgenoten onthaald zou worden.

Aangekomen bij mijn afdelingsleider zag ik dat de rode lamp boven zijn deur brandde, hetgeen betekende dat hij bezet was. Nog nooit in mijn hele schoolcarrière was hij bezet geweest, nog nooit! Nerveus vroeg ik me af of ik misschien concurrentie zou krijgen op het gebied van het terroriseren van de school. Natuurlijk deden leerlingen wel eens een poging om me te imiteren, maar nog nooit had de rode lamp daarvoor gebrand!

Net toen ik verschillende ideeën overwoog hoe ik mijn reputatie het beste kon verdedigen, zwiepte de deur open. Een vrouw met een spits gezicht verliet de kamer, haar blonde haar was strak naar achteren in een knot gebonden, zodat haar gezicht zo mogelijk nog spitser leek. Haar ogen waren iets donkerder blauw dan die van mij. Een rilling liep over mijn rug. Nog nooit had ik iemand zo hooghartig zien kijken. Ik wist nu al dat het een vrouw was die ik waarschijnlijk nooit aardig zou vinden. Ze werd gevolgd door een meisje van mijn leeftijd, zo'n zeventien, achttien jaar schatte ik haar. De rilling die dit keer over mijn rug liep, was niet omdat ze intimiderend was zoals de vrouw voor haar, nee, het was omdat ze het mooiste schepsel was dat ik ooit had gezien. Zij en die vrouw konden onmogelijk verwant zijn. Haar ogen, omlijst door een dik paar lange wimpers, waren groot en groen, niet van die grijsgroene die je wel vaker ziet, maar licht en helder als die van een kat en ik kon het niet helpen om mezelf af te vragen of ze licht zouden geven in het donker. Haar huid was zo gaaf, ik probeerde een moedervlekje of een puistje te ontdekken of op zijn minst een dikke laag make-up die haar oneffenheden verborg, maar ik zag niets van dit alles. Ze was volledig naturel. Zelfs haar wimpers gaven geen schijn van mascaraklodders, waar Arthur en ik altijd zo van walgden. Haar dikke haar hing tot ver over haar schouders, de krullen in de punten deinsden zachtjes op en neer terwijl ze liep. Ik moest onwillekeurig glimlachen. Ik kon niet bepalen welke kleur het was. Donkerrood of houtbruin? Net zoals ik niet kon bepalen of mijn haar nu donkerbruin of zwart is.

De blonde vrouw liep met grote, fiere stappen weg. Ze keurde mij geen blik waardig. Het meisje had een merkwaardige houding. Ze had haar schouders recht naar achter en haar kin stak vooruit, maar haar ogen waren terneergeslagen. Alsof ze bespot werd, maar vastbesloten was niet te reageren. Ze liep achter de vrouw aan. Waar ging ze heen? Ze mocht niet weg, ik wilde bij haar blijven, nog iets langer naar haar kijken. Ze verwarde mijn gedachten zo erg, ik kon niet meer helder denken.

Toen ze me passeerde, sloeg ze haar ogen een moment op. Het was alsof ik wakker werd uit een hele vage droom, haar blik trok me terug naar de werkelijkheid. Ik deed een beetje geschokt een stap achteruit, haar ogen stonden dreigend, alsof al het leed van de wereld mijn schuld was en ze mij er persoonlijk voor ging laten boeten. Het hield maar een seconde stand, want ze liep verder. Wat had ik haar aangedaan om zo'n blik te verdienen? Mijn bewondering voor haar veranderde langzaam in hoogmoedigheid. Als ze zou weten wie ik was, wat voor een aanzien ik onder de leerlingen op deze school had, zou ze wel anders gereageerd hebben.

De reden dat ik mijn normale gedachtegang weer kreeg, was ongetwijfeld omdat ze uit het zicht was verdwenen en haar onnatuurlijke schoonheid me niet meer rechtstreeks kon verwarren. Ik vroeg me af of ik me haar blik misschien verbeeld had, misschien had ik me haar wel helemaal verbeeld. Ik was egoïstisch genoeg om te geloven dat ik zoiets moois als zij had kunnen verzinnen.

'Carter.' De diepe stem van mijn afdelingsleider deed me opschrikken uit mijn gedachten en ik herinnerde me met moeite waarom ik hier was.

'Ik vond het al zo lang duren vandaag. Ik was even bang dat je niet meer zou komen,' zei hij.

Ik grijnsde. Aan meneer Andrews had je geen slechte. Hij was rechtvaardig en bovenal vriendelijk.

'Kom binnen,' zei hij.

Ik liep het vertrouwde kantoor in en deed de deur achter me dicht.

'Wat was het deze keer?' vroeg hij, terwijl hij achter zijn bureau ging zitten.

Ik plantte mezelf op een stoel.

'Een tekening,' mompelde ik.

'Een tekening waarvan?'

'Van hem,' zei ik verbeten.

Ik kon het nog steeds niet verkroppen dat mijn kunstwerk op dit moment ergens versnipperd op de vloer lag.

'Meneer Wilson,' verbeterde meneer Andrews geduldig.

Hij wist precies welke uren ik meneer Wilson had, en hij wist ook dat juist dat de uren waren dat hij me kon verwachten.

'Hij heeft hem verscheurd!' gooide ik er verontwaardigd uit.

Ik zag meneer Andrews zachtjes grinniken.

'Was hij goed gelukt?' vroeg hij oprecht geïnteresseerd.

'Het was schoolkrantmateriaal,' zei ik half trots, half teleurgesteld.

Meneer Andrews glimlachte en knikte begrijpend.

'Ik ga je niet straffen voor het maken van een tekening, Carter, maar ik moet je toch vragen – hoezeer ik je gezelschap ook op prijs stel – je bezoekjes aan mij iets te minderen.'

Hij glimlachte nog steeds, maar zijn ogen keken serieus.

'Je hebt een grote invloed op de studenten hier, Carter, en dat weet je. Je maakt er ten volste gebruik van, maar dat betekent niet dat iedereen het waardeert.'

Ik zuchtte. Kon ik het helpen dat de leraren hier zo humorloos waren.

'Met populariteit haal je geen diploma,' ging meneer Andrews verder.

Geweldig, de zo-haal-je-nooit-een-diploma preek.

'Gedraag je en gebruik de invloed die je op ons kleine schooltje hebt voor de verandering eens ten goede, anders zal ik toch een keer echte maatregelen moeten nemen,' Hij keek wat strenger nu.

Ik schoof ongeduldig heen en weer op mijn stoel.

'Je bent geen slechte jongen en ik snap waarom mensen met je weglopen, maar genoeg is genoeg.' Hij keek me aan.

Ik vroeg me af of hij nu verwachtte dat ik iets zou zeggen. Natuurlijk had hij gelijk, de tekening was niet het probleem, dat was meer de druppel die de emmer deed overlopen. Ik had al te veel uitgehaald en ik besefte dat ik hier een laatste kans voorgeschoteld kreeg. Ik vloekte binnensmonds. Die verdraaide Wilson ook, waarom had hij die tekening dan ook moeten afpakken.

Meneer Andrews keek me nog steeds aan. Ik knikte als teken dat ik het begrepen had.

'Goed, dan zijn we hier klaar,' zei hij.

Ik stond op en liep het kantoor uit zonder te groeten. Ik had liever gehad dat hij me straf zou geven. Wat was er nou aan als je niets uit mocht halen? Ik vroeg me af wat ertegenover stond als ik toch iets uithaalde, dat had ik niet gevraagd. Zou ik van school gestuurd worden?

Snel haastte ik me naar mijn volgende les. Toen ik het lokaal binnenkwam, kreeg ik niet het gebruikelijke onthaal. Ze leken niet eens te merken dat ik binnenkwam. En toen ik de ogen van de klas volgde, zag ik *haar*, hetzelfde meisje dat ik zojuist bij het kantoor van meneer Andrews had gezien. Haar verschijning deed mijn adem weer even stokken, maar ik herstelde me dit keer vrij snel.

'Carter, ga snel zitten, dan stel ik jullie nieuwe klasgenoot voor,' zei mevrouw Thompson, mijn lerares aardrijkskunde.

Mokkend liep ik naar mijn plaats, chagrijnig over het feit dat de nieuweling mijn glorie had gestolen. Zo ijdel was ik wel, om me om zoiets kwaad te maken. Geïrriteerd zakte ik in mijn stoel en sloeg mijn armen over elkaar.

'Dit is Lily Jones. Ze is naar Londen verhuisd en komt bij jullie in de klas.' Mevrouw Thompson was duidelijk enthousiast en tot mijn grote ergernis was de rest van de klas dat ook.

Alleen Jenniffer en haar beste vriendin Ashley Rogers leken mijn ergernis te delen.

'Lily, wil je misschien iets over jezelf vertellen?' vroeg mevrouw Thompson vriendelijk.

Lily keek helemaal niet alsof ze iets over zichzelf wilde vertellen. Ze had diezelfde dodelijke blik in haar ogen waarmee ze mij een half uur geleden had aangekeken. Ik had het me dus toch niet verbeeld. Nu keek ze de hele klas zo aan, alsof we iets vreselijks waren.

'Ik ben achttien,' gooide ze er prompt uit.

Gelach steeg op, niet om het vreemde antwoord dat ze mevrouw Thompson gaf, maar omdat ze een belachelijk accent had. Het was geen Brits, en ook geen Amerikaans. Wat nog meer bizar was dan haar accent, was haar reactie op het gelach. Ze stoof achteruit alsof ze zich dood schrok. Nee, niet alsof, ze schrok echt, waardoor het gelach nog meer aanwelde. Lily kneep haar ogen samen en deed voorzichtig een stapje vooruit en weer terug, als een klein meisje dat een dier gevonden heeft en wil zien hoe het op haar reageert.

'Wat doet ze?' proestte Jenniffer uit.

'Ik weet het niet,' gierde Ashley.

Ook Arthur hikte van het lachen. Ik keek met steeds groter wordende verbazing naar Lily. De boze blikken van mevrouw Thompson maanden de klas tot stilte.

'Ga hier maar zitten, meisje,' zei mevrouw Thompson. Ze voelde zich duidelijk verantwoordelijk voor het uitlachen van Lily.

Ik volgde Lily's gracieuze bewegingen naar haar stoel. Ik wist niet wat ik van haar moest denken. Ik besloot er maar de stempel 'vreemd' op te drukken.

Arthur boog zich vertrouwelijk naar me toe.

'Mooi is ze, hè!'

Het was niet echt een vraag. Ik zag Arthur een paar keer knipperen tegen haar onmenselijke schoonheid, net zoals ik had gedaan op het moment dat ik haar voor het eerst zag. Ik probeerde zo onverschillig mogelijk mijn schouders op te halen.

'Wat heb jij?' vroeg Arthur.

Hm, zou 'ik zit te mokken omdat iemand mijn middelpunt heeft gestolen' erg wanhopig overkomen?

'Ik vind haar maar raar,' antwoordde ik.

'Ja, hoorde je hoe ze praatte?' viel Jenniffer meteen giechelend bij.

Ashley knikte hevig en we keken alle drie afwachtend naar Arthur.

'Ja, ze is wel vreemd,' zei hij, terwijl hij zich weer over zijn boeken boog.

Ashley glimlachte opgelucht en Jenniffer leunde gerustgesteld terug in haar stoel, tevreden over de weinige interesse die ik in de nieuweling had. Ik wist dat ik zojuist een toon had gezet die het voor Lily erg moeilijk ging maken. Als ik had gezegd dat ik Lily nu al geweldig vond, zou iedereen dat met me eens zijn geweest. Ja, Lily was mooi, maar dat was mijn tekening ook geweest.

De rest van de dag probeerde ik de aanwezigheid van Lily zoveel mogelijk te negeren, net zoals het stemmetje in mijn hoofd dat fluisterde dat het eigenlijk niet Lily's schuld was dat de klas mijn tekening was vergeten.

Lily was een rustige en stille persoonlijkheid die precies deed wat er van een student verwacht werd. Ze luisterde, maakte aantekeningen en als er tijd over was, maakte ze haar huiswerk. Niet één keer vroeg ze de aandacht, niet één keer probeerde ze een gesprek met iemand aan te knopen. Ze had bijna iets mechanisch.

De rest van de leerlingen maakte het echter een stuk minder makkelijk voor me. Lily's schoonheid leek mijn gezag te ondermijnen, mijn invloed. Jenniffer en Ashley hadden zonder twijfel mijn reactie op de nieuweling doorgebrieft aan iedereen die het wilde horen, maar toch scheen niemand ook maar enige intentie te hebben om haar te negeren zoals ik dat deed. Iedereen had het over haar. Over haar en niet over mij, zoals gebruikelijk was. Als een leerling een dappere poging deed een praatje met Lily te maken, trakteerde ze het slachtoffer op een van haar dodelijk blikken. Als dat zo door zou gaan, zou ze aan het eind van de dag vast een stuk minder populair zijn. Ze had mijn hulp blijkbaar helemaal niet nodig om mensen uit haar buurt te houden, misschien liep mijn plekje in het middelpunt toch niet zoveel gevaar. Ik werd er steeds zekerder van dat ze haar de dag erna weer helemaal vergeten zouden zijn.

'Vrijdag filmavond?' vroeg Arthur na de les.

'Ja, best,' knikte ik.

Jenniffer haakte meteen in.

'O, zal ik een paar films meenemen? Ik heb net een paar hele leuke gehaald!'

'Ja, ik heb ze al gezien, ze zijn echt wow.' Ashley overdreef de klemtoon op de 'wow' ontzettend. Ze was het altijd vurig eens met alles wat Jenniffer zei. Ik snapte niet wat Arthur in haar zag, maar hij snapte ook niet wat ik in Jenniffer zag. De laatste deed haar mond alweer open, waarschijnlijk om de hele lijst films op te noemen, maar Arthur was haar, godzijdank, voor.

'Nee, Jen, tenzij er geen zoenscènes in zitten,' zei hij.

Jenniffer keek bedenkelijk en pijnigde waarschijnlijk haar hersens of ze een film had waar geen zoenscènes in voorkwamen. We liepen met zijn vieren naar buiten.

'Ja, en met bloed, veel bloed,' voegde ik er snel aan toe, voordat Jenniffer met een film aan zou komen waar dan wel geen zoenscènes in voorkwamen, maar die uit één langdradig drama bestond waar de geliefden van elkaar gescheiden werden en alles deden om elkaar weer terug te vinden. Ugh. De meisjes begonnen zenuwachtig te giechelen.

'Achtervolgingen,' vulde Arthur aan.

'En monsters!' zei ik dreigend.

Arthur en ik wisselden een blik van verstandshouding en renden toen met brullende geluiden achter Jenniffer en Ashley aan, die gillend over het gras holden. Ik greep Jenniffer bij haar middel zodat Arthur ongestoord voor Ashley kon gaan. Beiden zwiepten we de meisjes in het rond, nog steeds luid brullende monstergeluiden makend. Het gegil en gelach trok de nodige aandacht. Na Jenniffer op de grond gezet te hebben, gaf ik haar een kus in haar nek. Ze giechelde zenuwachtig. Ik zag Arthur jaloers kijken. Hij vroeg zich altijd af hoe ik dat soort dingen durfde, en ik begreep niet waar hij nou zo bang voor was.

Toen ik naar ons publiek keek, zag ik onder andere *haar* weer, haar roodbruine haar wapperde in de wind en ze was blijven staan om naar het schouwspel te kijken, *ons* schouwspel. Ze had een blik in haar ogen die ik vandaag nog niet had gezien, ze keek alsof ze het uiterst interessant vond wat we deden. Ze keek nieuwsgierig.

'Waar kijkt *zij* nou naar?' vroeg Jenniffer met een stem waar de geamuseerdheid vanaf droop, omdat zij hier stond en de mooie nieuweling daar. Lily's ogen schoten een moment naar Jenniffer, toen weer naar mij en weer terug. Daarna draaide ze zich om en liep door de grote hekken het schoolterrein af.

Er stond een klein, wit busje aan de rand van de straat te wachten, op Lily blijkbaar, want ze stapte in. De bestuurder was een man, niet de vrouw van vanochtend. Ze wisselden geen woord met elkaar, keken elkaar niet eens aan. Als het busje niet was gaan rijden, had ik gedacht dat de man niet eens had gemerkt dat Lily was ingestapt. Het laatste dat ik zag toen ze wegreden, was Lily die uit het raam keek.

'Denk je dat we Lily moeten uitnodigen voor het filmavondje vrijdag?' was het eerste dat Arthur me de volgende morgen vroeg.

Dat Lily blijkbaar vandaag nog steeds het gesprek van de dag was, kwam mijn ochtendhumeur niet ten goede.

'Waarom?' vroeg ik scherp, terwijl ik in de spiegel van het jongenstoilet keek.

'Nou, je weet wel, ze is nieuw en ze kent hier niemand,' mompelde Arthur verlegen.

Ik betwijfelde of Jenniffer en Ashley Lily een gezellige tijd zouden bezorgen. Als ze er uiteindelijk achter zouden komen dat Arthur het had voorgesteld en ik ermee had ingestemd, zou de hel voor ons losbarsten. Aan de andere kant: als Lily inderdaad nog iets langer in mijn middelpunt zou staan, en mijn hoop dat dit niet zo was, was blijkbaar tevergeefs geweest, dan kon ik er beter mijn voordeel uithalen.

Ik had stiekem gefantaseerd over hoe het zou zijn als Lily en ik vrienden zouden worden en we ons misschien wel tot elkaar aangetrokken zouden voelen.

Jenniffer was knap, maar ze was natuurlijk niets vergeleken met Lily. Iemand die eruit zag zoals zij zou nog eens een extra stempel op mijn reputatie drukken. Misschien kon ik haar zelfs dat accent wel afleren.

'Het hoeft niet natuurlijk,' zei Arthur vlug toen ik niet meteen reageerde.

'Ik vraag het wel,' zei ik zelfverzekerd, terwijl ik een donkere lok uit mijn gezicht streek.

Arthur keek verrast.

'Maar jij neemt verantwoordelijkheid voor de heibel die we met Jenniffer en Ashley krijgen,' voegde ik eraan toe.

'Ga je haar echt vragen?' vroeg Arthur.

'Natuurlijk,' zei ik en keek weer in de spiegel. 'Waarom niet?'

'Nou, ze kijkt soms zo… intimiderend,' bekende Arthur.

'Waarom wil je dan zo graag dat ze meegaat?' vroeg ik.

Arthur lachte vrolijk.

'Vertel me nu niet dat jij haar niet het meest goddelijke wezen vindt dat je ooit hebt gezien.'

Ik grinnikte, ondanks de onvriendelijke gevoelens die ik voor Lily had gekoesterd, moest ik Arthur natuurlijk gelijk geven.

'Geen zorgen,' zei ik weer, 'ik vraag het wel. Heb je deodorant?'

Arthur gooide een spuitbus naar me toe. Ik spoot het geurtje tevreden op, genietend van de bewonderende blikken die mijn beste vriend me toewierp.

Ik had mijn hele verdere schooltijd met Lily al uitgedacht toen ik vastberaden het aardrijkskundelokaal binnenstapte. Lily zat op dezelfde plaats als gisteren. Arthur wenste me succes voor hij naar Jenniffer en Ashley liep. Ze keken meteen achterdochtig toen ik niet met hem meekwam. Zonder om te kijken, stapte ik op Lily af.

'Hoi Lily,' zei ik zonder enige onzekerheid in mijn stem.

Als ze me die blik had toegeworpen voordat ik gesproken had, had er misschien wel enige hapering in mijn stem doorgeklonken. Ik hoorde Jenniffer bijna naar adem happen toen ik Lily aansprak. Lily maakte echter geen uitzondering voor mij en keek me net zo furieus aan als menig ander die haar probeerde aan te spreken, maar ik liet me niet zo makkelijk afwimpelen.

'Ik ben Carter,' stelde ik mezelf voor.

Ze vernauwde haar ogen, maar antwoordde niet. Ze boog zich weer over haar boeken, die ze al tevoorschijn had gehaald.

'Dus,' begon ik na een ongemakkelijke stilte, 'hoe vind je het hier?' Ik ging op het puntje van haar tafel zitten.

Een merkwaardig geluid kwam uit haar keel zodra ik dat deed. Gromde ze nou naar me? Dat was te bizar om alleen al te overwegen.

'Sorry?' vroeg ik nu toch een beetje oncomfortabel.

'Wat wil je?' vroeg ze onbeleefd. Haar accent was echt lachwekkend.

Toch was ze, zelfs met die hatelijke blik, beeldschoon. Laat je niet afleiden, Carter.

'Ik wilde vragen of je misschien zin hebt vrijdagavond met ons een film te kijken?'

Ik gebaarde naar Arthur, Ashley en Jenniffer, die achterin de klas stonden. Arthur zwaaide even en glimlachte onbenullig. Ashley sloeg zijn hand ongeduldig naar beneden. Zij en Jenniffer keken zuur voor zich uit.

'Een film?' vroeg Lily niet-begrijpend.

Ik trok mijn wenkbrauwen op.

'Ja, een film,' herhaalde ik verbaasd.

Ze leek een moment in gedachten verzonken.

'O, een film!' riep ze uit.

Ze leek tevreden met zichzelf, alsof ze zich net het antwoord op een hele moeilijke vraag herinnerde. Verder zei ze niets en richtte zich weer op haar boeken. Ze was echt heel vreemd.

'Dus, ga je mee?'

'Nee,' zei ze zonder op te kijken, het was alsof ze een bandje afspeelde, haar stem klonk onnatuurlijk.

'Waarom niet?' vroeg ik verbluft.

Ze keek op en haalde haar neus op.

'Ruik je altijd zo?' vroeg ze.

'Wat... ik... hoezo?' stotterde ik.

Waarom was ze niet in staat gewoon antwoord te geven op zo'n simpele vraag? Ze irriteerde me, maar er was nog iets anders. Ze zorgde ervoor dat ik me zelfbewust voelde en dat beviel me helemaal niet.

'Nou, je stinkt,' zei ze zonder enige emotie.

'*Wat?*' Mijn mond viel open.

Ik hoorde iemand achter Lily een zenuwachtige giechel uitstoten. Iemand die ons gesprek moest hebben opgevangen en dat was ronduit gênant. Ik had de situatie niet meer in de hand. Dit was me nog nooit overkomen.

'Je ruikt heel onnatuurlijk. Je doet mijn neus pijn,' legde ze uit.

'Ga je nou mee of niet?' snauwde ik.

Ik wilde eigenlijk niet meer dat ze mee zou gaan, maar aan de andere kant voelde het alsof ik zou verliezen als ze nee zou zeggen.

'Nee,' zei ze weer, zonder verdere uitleg.

Ik staarde haar verbouwereerd aan. Wat was er toch mis met haar? Ze keek me weer aan. De haat in haar ogen was verflauwd, maar was er nog steeds.

'Is er nog iets dat ik voor je kan doen?' vroeg ze rustig.

Ik knipperde met mijn ogen. Sinds wanneer was zij dit gesprek gaan leiden? Waar was dit misgegaan?

'Nee,' zei ik kwaad.

Ik stond op. Ze staarde me even aan en boog zich over haar boeken. Ik stampte terug naar Arthur en de rest. Jenniffer keek me aan met een uitdrukking die me net ietsje te tevreden was. Zonder haar te groeten, liep ik langs haar. Met veel gestommel en mijn gezicht op onweer ging ik op mijn stoel zitten.

'En?' vroeg Arthur net ietsje te hoopvol, aangezien Ashley met veel kabaal haar boeken op de tafel smeet.

'Wat denk je zelf?' snauwde ik.

Ik zag hoe Arthur's blik naar Lily gleed.

'O,' zei hij alleen maar.

Ik gluurde naar Lily. Ze keek niet eens of ze me boos had gemaakt, ze keek niet met die bewonderende blik naar me zoals de andere meisjes. Het leek haar allemaal niets te kunnen schelen! Haar gedrag paste niet bij haar uiterlijk, of beter gezegd: haar gedrag paste niet bij het beeld dat ik van haar had en dat irriteerde me.

Toen de les begon, boog Arthur zich naar me toe.

'Is er iets gebeurd?' vroeg hij.

'Je lijkt nogal kribbig.'

Ik bromde iets onverstaanbaars.

'Wat voor deodorant was dat?' vroeg ik hem.

'Gewoon, wat ik altijd op heb,' antwoordde hij.

Ik vond Arthur nooit stinken. Met een zucht liet ik mijn hoofd op mijn armen zakken. Het gevoel dat me bekroop, beviel me maar niks. Ik voelde me... onzeker. Ik durfde het woord bijna niet te denken. Mevrouw Thompson's gebrabbel ging volledig langs me heen. Ik merkte ook pas dat er iets aan de hand was toen mevrouw Thompson zei: 'Lily, wil je alsjeblieft gaan zitten!'

Ik rees nieuwsgierig mijn hoofd van mijn armen. Er steeg hier en daar gegiechel en gegrinnik op. Lily stond vooraan in het lokaal en staarde naar de projectie van de beamer, die mevrouw Thompson blijkbaar tevoorschijn had gehaald om wat dia's te laten zien. Ik dacht wat landschappen te herkennen uit Azië. Lily ging met haar hand over het scherm en gleed met haar vingers over de foto's. Verder stond ze volkomen stil. Ik lachte met de rest mee, het voelde goed haar te kunnen uitlachen nadat ze me zo hardhandig had afgewezen.

'Lily, ga zitten!' herhaalde mevrouw Thompson streng. Lily keek verward, alsof ze wakker werd uit een mooie droom en geïrriteerd was over het feit dat ze was gewekt.

Haastig ging ze weer op haar stoel zitten. Ik schudde mijn hoofd ongelovig, ze leek niet eens te merken dat ze uitgelachen werd, laat staan dat het haar dwarszat. Ik had absoluut geen grip op haar en ik was vastbesloten uit te vinden waarom niet. Gelukkig begon Lily mensen af te stoten met haar vreemde gedrag en het opgewonden gemompel over de nieuweling veranderde langzaam in geroddel.

Ik was blij toen de dag ten einde kwam. Lily bezorgde me hoofdpijn. Ik was de hele dag ongezellig geweest, zelfs Arthur kon me op een gegeven moment niet meer uitstaan. Jenniffer negeerde ik de hele dag. Ze was nog steeds veel te vrolijk over mijn afgang.

'Ik zie je morgen,' mompelde ik tegen Arthur.

Hij knikte.

'O, Carter!' riep hij voordat ik de bus instapte.

Ik keek om.

'Zorg dat je morgen met je goede been uit bed stapt. Nog zo'n dag en ik bega een moord!' Hij grijnsde, maar ik wist hoe serieus hij het meende.

Ik rolde mijn ogen en stapte de bus in. Nog nooit was ik zo blij geweest dat een schooldag voorbij was, en dat zei wat.

2. Oost west, thuis best

Ik gooide mijn tas op de keukentafel.

'Ik ben thuis!' riep ik.

Ik kreeg geen antwoord.

Ik griste een blikje cola uit de koelkast en liep naar het antwoordapparaat.

'U *heeft een nieuw bericht,*' luidde de automatische vrouwenstem.

'Hoi jongens,' klonk mijn vaders stem.

Zucht. Ik wist wat er komen ging.

'Ik moet vandaag overwerken,' klonk het.

Ik vormde de woorden mee met mijn mond, terwijl ik rare gezichten trok.

'Zouden jullie je eten zelf klaar willen maken vanavond? Er liggen pizza's in de vriezer.' Alsof het niet elke avond hetzelfde was.

'Ik ben rond middernacht weer thuis.'

Wat een verassing. Ik nam een slok van mijn cola.

'Oh, en Carter…'

Ik wist dat ik er te makkelijk vanaf kwam.

'… jij gaat vanavond het huis niet uit! Ik heb je cijferlijst gevonden tussen het oud papier en zag dat je flink wat op te halen hebt als je dit jaar nog over wilt gaan.'

Ik nam nog een slok cola.

'Ja, en wat wou je daaraan doen?' mompelde ik.

'Waarom praat je tegen het antwoordapparaat?' vroeg Tyler, mijn veertienjarige broertje.

'Denk eraan, Carter. Tot morgen, jongens!'

Ik drukte de telefoon uit.

'Pap komt niet thuis vanavond,' zei ik, zonder Tyler antwoord te geven op zijn vraag.

Tyler knikte begrijpend, alsof hij er ten volste begrip voor had dat pap moest overwerken. In dat opzicht was Tyler volwassener dan ik. Na de dood van onze moeder had Tyler haar rol in vele opzichten overgenomen. Door haar taken over te nemen, dacht ik dat hij zich meer met haar verbonden voelde. Hij had haar dood nog steeds niet verwerkt, ook al was het al vijf jaar geleden dat de politie op de stoep stond en vertelde dat mam was omgekomen bij een auto-ongeluk. Een auto-ongeluk, zoiets hedendaags. Het gebeurt de hele tijd, maar ik denk dat niemand had verwacht dat het ooit een van ons zou overkomen. We misten mam, ieder op onze eigen manier. Tyler door de verantwoordelijke uit te hangen, pap door zich volledig op zijn werk te storten en ik... ik door te doen alsof er niets gebeurd was. Oké, misschien waren mijn cijfers iets slechter en bracht ik iets meer tijd buitenshuis met mijn vrienden door. Maar mam was de vrouw in alle drie ons leven geweest en opeens was ze er niet meer.

'Ik ga huiswerk maken.' Tyler liet me opschrikken uit mijn gedachten.

Ik keek toe hoe hij een poging deed drie tassen mee naar boven te zeulen. Zoals ik verwachtte, liet hij alles met een daverende klap op de grond vallen.

'Waarom gebeurt mij dit altijd?' mopperde hij.

'Alle goede genen waren al op toen jij werd geboren,' grijnsde ik.

'Ha, ha, Carter, help me liever even mijn spullen op te rapen.'

'Wat moet je dan ook met drie tassen?'

'Om ervoor te zorgen dat ik niet zo'n cijferlijst als die van jou krijg,' beet hij me toe.

'Au, die deed pijn, Tyler.' Ik greep dramatisch naar mijn hart en streek plagend door zijn haar.

Op dat moment voelde ik mijn telefoon trillen in mijn broekzak.

'Sorry, Ty, de plicht roept!'

'Hey! Jij mocht het huis niet uit! Denk maar niet dat ik dat niet gehoord...'

Ik sloeg de deur achter me dicht en sprintte naar mijn auto. Ik greep mijn telefoon en keek op mijn display: Arthur.

'Carter,' zei ik, terwijl ik de telefoon tegen mijn oor duwde.

'Hey C, Ash, Jen en ik willen naar het strand. Zin om mee te gaan?'

'Ik wil wel, maar ik mag eigenlijk niet weg.'

'Dus je komt?'

'Natuurlijk,' grijnsde ik.

Ik hoorde Arthur aan de andere kant van de lijn lachen.

'Kom je me ophalen?'

'Ben er in vijf minuten,' zei ik.

'Zie je zo!' Hij hing op.

Ik sprong in mijn cabrio. Arthur woonde maar een paar straten verderop. Zijn huis was enorm, geweldig voor feestjes, maar het was er ook altijd een enorme troep. Ik stopte voor zijn huis en toeterde. Arthur kwam in een snelle looppas naar de auto en sprong over het portier.

'We zien Ash en Jen op het strand. Ze moesten nog even naar dat superleuke bikinitopje kijken in dat schattige winkeltje om de hoek.'

Ik grijnsde.

'Vrouwen...' was mijn antwoord.

'Praat me er niet van,' zei Arthur dramatisch.

'Euhm... Ik hoorde van Casey dat jij en Lily ruzie hadden vanochtend.'

De kleur trok weg uit mijn gezicht. Casey? Wie was Casey? Ik herinnerde me de zenuwachtige giechel nadat Lily had opgemerkt dat ik stonk. Ik kreunde. Het laatste wat ik wilde was dat iemand ging rondbazuinen wat Lily tegen me gezegd had. Dat zou mijn reputatie niet ten goede komen.

'Wat heeft ze gezegd?' vroeg ik.

Arthur beet op zijn lip en begon te grinniken.

'Dus ze vond dat je stonk?'

Mijn mond viel open.

'Het was jouw deodorant!' viel ik uit.

Arthur hield verdedigend zijn handen op.

'Rustig!' Hij grijnsde nog steeds breed.

'Waarom lach je? Wat is er zo grappig?' snauwde ik.

Arthur stopte niet met grijnzen. Hij pakte relaxed een colablikje uit de tas die tussen zijn voeten stond en maakte het met een sis open.

'Nou, gewoon... we hebben het hier over jou. Dit soort dingen gebeuren jou niet. Dit zou mij kunnen gebeuren, of wie dan ook, maar jou... ' Arthur hield het niet meer en barstte in lachen uit. Hij klopte me troostend op mijn schouder.

'Het is fijn om te weten dat ook jij wel eens tegenslagen hebt met meisjes.'

Ik greep het stuur zo stevig beet, dat mijn knokkels wit werden. Ik probeerde mezelf ervan te overtuigen dat Arthur een dreun verkopen waarschijnlijk niet de beste oplossing was. Er gebeurde nu precies waar ik bang voor was geweest. Nog even en de hele school zou van deze sappige roddel horen: Carter afgewezen door een meisje. Mijn beste vriend zag me nu al als zijn gelijke! Iemand die net zoals iedereen ook wel eens een tegenvaller heeft. Lily zou mijn reputatie niet alleen verslechteren, nee, ze zou hem compleet vernietigen! Mijn gedachten werkten op topsnelheid. Het scheen te laat te zijn om de roddel nog te stoppen, Casey had duidelijk achter mij en Lily gezeten met aardrijkskunde en had zonder twijfel een deel van ons gesprek opgevangen. Opeens verscheen er een glimlach op mijn gezicht. Als ik de roddel niet uit de weg kon ruimen, dan moest ik hem maar ontkrachten met een nieuwe.

'Wat?' vroeg Arthur, terwijl hij de cola naar zijn lippen bracht. Hij kon mijn plotselinge vrolijkheid niet verklaren.

'Wat je ook gehoord hebt, doet er niet toe,' zei ik vergenoegd.

'Hoe bedoel je?' vroeg Arthur verbaasd.

'Casey heeft duidelijk gezegd dat ze achter jullie zat tijdens aardrijkskunde en toen hoorde...'

'Ik weet niet wat Casey je allemaal verteld heeft, maar het doet er niet toe,' kapte ik hem af.

'Lily en ik gaan namelijk samen naar het schoolfeest.'

De cola spoot door Arthur's neus.

'Wat?!' proestte hij. 'Dat kun je niet doen!'

Ik trok mijn wenkbrauwen verbaasd op.

'En waarom niet?' vroeg ik.

Het kostte hem maar een enkel woord om dat uit te leggen.

'Jenniffer.'

Ik probeerde zo nonchalant mogelijk mijn schouders op te halen.

'Sinds wanneer zit ik aan Jenniffer vast?'

Arthur staarde me aan.

De rest van de weg naar het strand zeiden we niets meer. Arthur brak zijn hoofd waarschijnlijk over het feit hoe ik het toch weer voor elkaar had gekregen. Ik besefte dat de leugen die ik zojuist had verteld allesbehalve waterdicht was. Eén woord van Lily en ik zou compleet voor schut staan. Dus er zat maar één ding op: ik zou Lily de volgende dag op school moeten spreken voordat iemand anders daar de kans toe kreeg. Arthur was mijn beste vriend, maar er was geen twijfel over mogelijk dat morgen de hele school op de hoogte zou zijn dat ik met Lily naar het gala zou gaan. Jenniffer zou er ook snel achter komen en dat zou een hoop gekrijs, gehuil en gestamp met zich meebrengen. Toch zag ik er niet tegenop. Het idee van Lily aan mijn zijde in plaats van Jenniffer tijdens de leswisselingen en de pauzes leek met de minuut beter. Vergeleken met Lily was Jenniffer eigenlijk zo mooi nog niet en waarom zou ik genoegen nemen met minder? Steeds meer opgetogen over mijn plan, parkeerde ik de auto. Toen we uitstapten, zagen we dat Jenniffer en Ashley al op het strand wachtten.

'En hoe zit het met Ashley?' vroeg ik, terwijl we de meisjes naderden.

'Lily heeft geen knappe vriendin meegenomen, dus ik hou het bij Ashley.' Om de een of andere reden klonk Arthur chagrijnig.

Ik had geen tijd om erop in te gaan, aangezien we ondertussen binnen gehoorafstand van Jenniffer en Ashley waren gekomen.

Jenniffer vloog me om de hals. Ashley deed hetzelfde bij Arthur, maar die leek minder enthousiast dan gewoonlijk.

Ik kuste Jenniffer schaamteloos.

'Hoi Jen,' zei ik.

'Hoi Carter,' zei ze ademloos en ze lachte haar witte tanden bloot.

Ik probeerde Lily's tanden voor te stellen, maar ik kon me niet herinneren dat ik haar had zien lachen.

Arthur en Ashley slenterden al arm in arm over het strand, en Jenniffer verwachtte duidelijk dat wij hetzelfde gingen doen. Ik probeerde zo normaal mogelijk te doen en sloeg mijn arm om Jenniffer heen, maar de gedachte dat ik hier met Lily zou kunnen lopen, leidde me verschrikkelijk af.

'De zonsondergang is prachtig, vind je ook niet?' vroeg Jenniffer, knipperend met haar ogen.

'Niet zo mooi als jij bent.' Zelfs op mijn slechtste dag kon ik dit nog fluitend doen. Meisjes zijn zo voorspelbaar in wat ze willen horen.

Ik voelde mijn mobiel in mijn broekzak trillen. 'Thuis' liet de display zien toen ik hem uit mijn broekzak haalde. Ik vroeg me meteen af of alles goed ging met Tyler.

'Carter,' zei ik.

'Carter, met Tyler. Luister, pap is eerder thuisgekomen en...'

'Zeg hem maar dat hij een groot probleem heeft!' brulde mijn vader op de achtergrond.

'Je hoort het,' zei Tyler.

Ik vloekte luid. Meteen daarna hoorde ik mijn vader nog harder tieren.

'Euhm, Carter... je staat op de luidspreker,' zei Tyler.

'Tyler!' riep ik verontwaardigd uit en drukte hem weg.

'Wat is er?' vroeg Jenniffer.

'Ik moet naar huis,' bromde ik.

'O,' zei ze beduusd.

'Arthur!' schreeuwde ik.

Arthur, die net in een innige verstrengeling met Ashley was verwikkeld, keek geïrriteerd op.

'Wat?'

'Ik moet naar huis. Als je mee wil rijden, moet je nu komen.'

'Maar we zijn er net!' protesteerde hij.

'Hij kan wel met ons meerijden,' zei Ashley snel.

'Best,' zei ik en beende weg. Ugh, waarom moest mijn vader ook nu thuis komen. Ik dacht eraan om gewoon weg te blijven, maar ik wist dat dit het uiteindelijk alleen maar erger zou maken. Bovendien wilde ik Tyler niet opzadelen met pap, die in zo'n slecht humeur was. Tyler was de enige waar ik nog een beetje rekening mee hield in deze wereld. Mijn kleine broertje was dan ook de enige die me echt iets kon schelen.

Ik stapte in mijn auto en startte de motor.

'Carter!' Jenniffer kwam aangehold.

Zo geen zin in. Ik deed alsof ik haar niet hoorde. Tegen de tijd dat ze de parkeerplaats had bereikt, was ik al weggereden. Ik zuchtte. Het was elke keer hetzelfde. Ik overtrad een regel, mijn vader ging tekeer, Tyler probeerde te boel te sussen, verwijten vlogen over en weer en we eindigden allemaal furieus op onze kamers. Toen mam er nog was, maakten we bijna nooit ruzie. Alles was zo veranderd.

Ik stelde mijn terugkeer naar huis zo lang mogelijk uit. Ik nam omwegen, reed rondjes, maar uiteindelijk parkeerde ik de auto op onze oprit. Ik stapte uit en greep mijn sleutels om de voordeur te openen, maar iemand was me voor. Mijn vader stond met zijn armen over elkaar in de opening.

'Naar binnen,' zei hij.

Gehoorzaam volgde ik hem de hal in, wachtend op wat komen ging. Hij liep naar zijn kantoor. Dat betekende niet veel goeds. Ik zag Tyler op de trap staan. Hij volgde me met zijn blik net zo lang tot ik het kantoor in verdween. Dat was zijn manier op me succes te wensen. Pap ging achter zijn bureau zitten. Ik probeerde al mijn wilskracht te gebruiken om niet naar de foto aan de muur te kijken, maar toch deed ik het elke keer weer. Zo ook nu keek ik naar de uitvergrote trouwfoto van pap en mam. Nancy en Patrick Johnson stond er met zwierige letters onder. Ze had mijn kleur haar, die onbenoembare kleur en mijn blauwe ogen. Om er niet meer naar te hoeven kijken, richtte ik me tot pap. Ik keek hem afwachtend aan, met een vervelde uitdrukking – mijn manier om brutaal te zijn zonder er een woord aan vuil te maken.

'Ik heb een telefoontje van je school gehad.'

Oké, die zag ik niet aankomen.

'Wat?' vroeg ik verbijsterd.

'Ene meneer Wilson. Hij heeft me verteld hoe je zijn lessen keer op keer verstoort.'

Ik kreunde. Dit kon ik er echt niet bij hebben. Meneer Andrews had me geen straf gegeven, dus belde meneer Wilson maar naar huis om te zorgen dat ik alsnog een lange preek zou krijgen en met een beetje geluk ook nog huisarrest. Ik bereidde me mentaal voor op de ruzie die komen ging. Ik nam een diepe teug adem. Goed, ik was er klaar voor.

'Dat zal – hem kennende – allemaal wel erg overtrokken zijn,' antwoordde ik.

'Ongepaste video's in de recorder stoppen tijdens een filmuur?'

Ik grijnsde. O ja, die was goed geweest.

'Een bewerkte foto van zijn vrouw?' ging mijn vader door toen ik niet reageerde.

'Die snor verschilde bijna niet met de snor die ze al had,' antwoordde ik.

Mijn vader gromde.

'Stinkbommen?'

'Oké, die geef ik je, dat was erg flauw,' gaf ik toe.

'Een duif in het klaslokaal?'

'Het is biologieles!' protesteerde ik.

Mijn vader sloeg met zijn hand op zijn bureau.

'Verdorie, Carter, wanneer zie je nou eens in dat dit soort dingen niet grappig zijn?' brulde hij.

'En dan zijn je cijfers ook nog eens ver beneden peil, en nog steeds voer je geen klap uit!'

Ik liet minachtend wat lucht ontsnappen.

'Kom op, je dacht toch niet echt dat ik thuis zou blijven?'

'Dat dacht ik wel en nu denk ik dat voor de komende maand!'

'Vergeet het maar,' zei ik.

'Carter,' zei mijn vader dreigend toen ik naar de deur liep.

Ik gaf geen antwoord.

'Kom op, Carter, hoe zit dat met onze goede band? Op deze manier blijft er niets van over.'

Ah, we gingen op het gevoel proberen in te spelen. Ik opende de deur.

'Dat heb je mis, pap, ik heb een ontzettend goede band met je voicemail.'

Ik verdween de hal in en botste bijna tegen Tyler aan, die blijkbaar had staan luisteren.

'Dat was niet aardig om te zeggen,' constateerde hij.

'Je weet dat het waar is,' antwoordde ik nors.

'En jij weet dat hij gelijk heeft,' kaatste Tyler terug.

'Begin jij nu ook al?' snauwde ik.

'Je weet dat hij alleen maar bezorgd is,' ging Tyler door, terwijl hij me op de voet volgde.

'En jij weet dat dat me niks kan schelen! Als hij echt zo bezorgd is, zou hij wel wat vaker thuis zijn.'

'Je bent zo...' zei Tyler gefrustreerd.

'Wat? Wat ben ik?' daagde ik uit, terwijl ik me met een ruk omdraaide.

'Onhandelbaar!' riep hij uit.

'Hou op met me te bemoederen!' schreeuwde ik terug.

'Wat is je probleem? Je bent zo opstandig af en toe!'

'Hou je mond, Ty... of ik sla hem dicht!' Voordat ik inderdaad tot de verleiding zou komen om al mijn frustraties op Tyler af te reageren, stormde ik mijn kamer in. Ik sloeg met mijn vuist op de muur. Er volgde een rij scheldwoorden en ik liet mezelf op mijn bed vallen. Ik had zo'n hekel aan thuis zijn. Het liefst was ik de hele dag op school, waar alles bewonderd werd wat ik deed. Ik verstopte mijn gezicht in mijn kussen.

School, dacht ik. Als ik mijn reputatie wilde behouden, moest ik Lily mee naar het bal krijgen. Ik draaide me weer op mijn rug. Zo moeilijk kon dat niet zijn. Ik kreeg al weken onsubtiele hints van meisjes die met me naar het bal wilden, uiteindelijk ging iedereen er natuurlijk vanuit dat ik met Jenniffer zou gaan. Het zou een verrassing zijn als ik opeens met Lily aan kwam zetten, maar dat was typisch ik: vol met verrassingen! Ik kon het weer opbrengen een beetje te lachen. Ja, morgen zou alles er weer beter uitzien.

3. Vragen

De volgende ochtend werd ik in een ongemakkelijke positie wakker. Ik had mijn kleren nog aan en het kwijl droop langs mijn mondhoek. Zeer charmant. Ik voelde me moe, ondanks dat ik de hele nacht had doorgeslapen. Ik stond kreunend op en sleepte mezelf naar mijn kledingkast. Ik kon dit niet nog een dag aan. Mijn hele outfit was compleet verkreukt in mijn slaap. Ik begon langzaam te beseffen dat er iets moest gebeuren vandaag. Langzaam begon het me te dagen dat ik Lily vandaag zover moest krijgen om met me mee naar het bal te gaan. Iets vertelde me dat dat niet zo makkelijk zou gaan als bij andere meisjes. Ik kon er dus maar beter op mijn best uitzien. Ik begon mijn kledingkast te doorzoeken en besloot voor een simpele blouse en een spijkerbroek te gaan.

Toen ik na mijn tanden gepoetst te hebben naar beneden stommelde, merkte ik dat ik laat was. Dat was niet goed. Lily was de vorige keer stipt op tijd geweest en ik kon het me niet veroorloven om iemand anders met Lily te laten praten voordat ik dat had gedaan. Geen ontbijt dan maar. Ik zag een pakketje op tafel liggen met een briefje erbij: *Je lunch. T.*

Tyler's manier om het goed te maken en ik zou hem er op mijn blote knieën voor danken als hij niet al op weg naar school was. Ik veegde mijn lunch in mijn schooltas en ook wat van mijn boeken die op tafel lagen, zonder te kijken wat voor vakken het waren. Buiten sprong ik in mijn auto en checkte mijn mobiel. Drie berichten van Jenniffer en één van Arthur. Die van Jenniffer kwamen alle drie op hetzelfde neer: hoe het thuis ging en of ik haar wilde bellen, alleen werden ze elke keer wat meer kortaf.

Ik trapte mijn gaspedaal in en scheurde naar school, ondertussen Arthur's niet interessante sms'je lezend, waardoor ik nog maar net uit kon wijken voor een overstekende peuter. Dat was waarom ik eigenlijk niet met de auto naar school mocht: volgens mijn vader zou ik dan te vaak andere levens in gevaar brengen. Daarom ging ik soms met de bus, maar als het maar even kon, ging ik met mijn auto – vooral om op te scheppen.

Op school aangekomen, wist ik vlak voor een andere auto in te parkeren, wat me een hoop getoeter opleverde. Terwijl ik uitstapte, keek ik op mijn horloge. Ik was eigenlijk nog best op tijd. Ik nam me voor niet te vergeten Tyler te bedanken als ik thuiskwam.

'Kijk de volgende keer uit waar je rijdt!' schreeuwde iemand. Ik keek om. De bestuurder van het witte busje, dat ik zojuist had afgesneden, keek me dreigend aan. Ik wilde weerwoord geven, totdat ik besefte wie er uit het busje stapte. Hetzelfde busje waar ik haar gisteren mee had zien vertrekken. Haar roodbruine haren wapperden in de wind en haar schoonheid deed me weer even op mijn plaats bevriezen. Haar tas hing om haar rechterschouder en in haar handen had ze boeken die ze stevig tegen haar borst aangedrukt hield, alsof ze daar steun zocht.

'Lily!' riep ik snel toen ze me passeerde.

Ze keek schichtig om.

'O, hallo Carter,' zei ze bijna vriendelijk.

Oké, dit was niet wat ik had verwacht.

'Euhm... Hoe gaat het?' vroeg ik nog steeds een beetje van mijn stuk gebracht.

Misschien was ze bij zinnen gekomen en besefte ze nu dat niet ieder meisje zomaar door mij werd aangesproken.

'Prima, dank je,' antwoordde ze beleefd.

Ze keek over haar schouder. Ik volgde haar blik en merkte dat de chauffeur van het busje nog steeds naar ons keek. Ik kon niet wijs worden uit zijn blik; zijn boosheid op mijn rijgedrag was in ieder geval verdwenen. Lily keek snel weer voor zich uit en de chauffeur ging weer achter het stuur zitten, zijn blik niet één keer afwendend van Lily en mij.

Ik keek weer naar Lily, ze leek zo gespannen dat ik me afvroeg of het wel goed ging met haar. Toen de motor startte en het busje de straat uitreed, zakte haar schouders een beetje en leek ze zich iets meer te ontspannen.

'Wat wil je?' snauwde ze.

Wow, stemmingswisselingen, maar ik liet me er niet door afschrikken.

'Binnenkort komt ons jaarlijkse bal eraan en ik vroeg me af...'

'Nee,' kapte ze me af.

Koppig kind.

'Laat me even uitpraten.' Ik probeerde mijn zelfbeheersing te bewaren.

Had ik argumenten voor dit standpunt?

'Nee,' zei ze weer.

'Kom op, waarom niet? Vind je nog steeds dat ik stink?'

Misschien kon zelfspot haar overhalen, ze leek immers niets liever te doen dan mij af te katten.

Ze snoof. Rook ze nu aan me?

'Nee,' zei ze.

Kende ze naast 'nee' nog een ander woord?

'...nog wel een beetje, maar niet zo erg als gisteren. Misschien komt het door de buitenlucht.'

Het was nu officieel: dit meisje spoorde niet.

'En trouwens, jij bent niet de enige. Iedereen stinkt hier,' voegde ze eraan toe.

'Hoe bedoel je?' vroeg ik verward.

Haar accent, haar schoonheid en haar vreemde gesprekken verwarden me.

'Iedereen ruikt hier zo... zo nep,' besloot ze.

'Kennen ze waar jij vandaan komt geen deodorant? Of parfum?' vroeg ik.

Haar mondhoeken schoten een fractie van een seconde omhoog. Was dat een glimlach? Het was te snel geweest voor me om er zeker van te zijn.

'Nee,' zei ze toen weer, 'nee, dat kennen we daar niet.'

'Waar kom je dan vandaan?' vroeg ik.

We hielden een conversatie, dat was goed. Misschien was er nog hoop. We liepen de school in. Ze keek me een moment aan.

'Ik ben een uitwisselingsstudent,' antwoordde ze.

Dat was geen antwoord op mijn vraag, maar haar antwoord leidde me af.

'Dus je gaat na een tijdje weer terug?' vroeg ik.

Ze haalde haar schouders op.

'Waarschijnlijk.'

Waarom zag ik op tegen dat idee?

'Lily...' begon ik.

Ze keek weer op. Geen haat dit keer in haar ogen. Dat gaf me moed.

'Ga met me mee naar het bal.'

Korte zinnen. Misschien was het op die manier makkelijker een gesprek met haar te voeren.

'Waarom?' vroeg ze.

Ah, verbetering, dit was geen nee.

'Omdat ik dat graag zou willen.'

Ze keek abrupt weg.

'Nee,' zei ze weer, haar stem iets harder.

Wat had ik fout gezegd? Was er zojuist niet een sprankje hoop aan de horizon geweest?

'Alsjeblieft?'

Ik kon niet geloven dat dit meisje me liet smeken. Meisjes smeekten bij mij! Niet andersom!

Haar blik vloog weer even naar mij. Niet met haar hele hoofd dit keer, maar vanuit haar ooghoeken.

'Waarom wil je dat ik met je naar het bal ga? Volgens mij heb jij aan meisjes geen gebrek.'

Hm, ze was toch iets slimmer dan ik dacht, maar als ze dit wist, waarom wees ze me dan af? Als ze wist dat er naast haar nog tientallen meisjes waren waar ik uit kon kiezen, en die wel volmondig ja zouden zeggen, als ze dat wist, waarom nam ze mijn aanbod dan niet dankbaar aan?

'Luister, je wilt toch niet de hele avond in je eentje thuiszitten?'

Dit greep haar aandacht.

'Waarom de hele avond thuiszitten als je ook plezier kan hebben?'

Ze leek het te overwegen.

'Moet ik dan een jurk aan?'

Was dat een ja?

'Ja,' zei ik.

Ze zuchtte.

'En het duurt de hele avond?' vroeg ze.

'Tot diep in de nacht,' zei ik, aangezien het haar scheen aan te spreken.

'Dus we mogen in het donker naar buiten?' vroeg ze benieuwd.

'Ja, natuurlijk,' stemde ik snel in.

Waarom dat zo interessant was, liet ik dan maar even achterwege.

'En als ik meega, laat je me daarna met rust?' Ze was volkomen serieus.

'Als jij dat wilt,' zei ik, blij dat ik deze slag had gewonnen, tenminste daar leek het op.

'Goed dan,' zei ze uiteindelijk.

Bingo!

Ik was zo geconcentreerd geweest op ons gesprek dat ik niet had gemerkt dat we bij ons lokaal waren aangekomen.

'Wil je dat ik je kom ophalen?' vroeg ik.

Nu moest ik ook een heer zijn en alle formaliteiten in acht nemen.

'Nee!' gooide ze er meteen uit, zonder het ook maar te overdenken.

'Ik kom zelf wel,' zei ze vluchtig, toen ze me verbaasd zag kijken.

'Euhm... oké,' stamelde ik.

Met Lily praten was zo vreemd. Ze nam niet alles wat ik zei voorlief aan, probeerde geen indruk op me te maken, beledigde me zelfs ongestoord zonder zich er zorgen om te maken. En toch ging ze met me mee naar het bal! Er zat voor mij totaal geen logica in.

'Waar spreken we dan af?' vroeg ik.

'We hebben het er nog wel over,' kapte ze het gesprek af en ging op haar plaats zitten. Vooraan, daar zat ze zover ik wist in alle klassen.

We hebben het er nog wel over? Ze leidde niet alleen het gesprek, maar ze sloot het ook nog af! Het werd met de minuut belachelijker. Hoe dan ook, de binnenkomst samen met Lily had de nodige aandacht gewekt. Ik vergaf Lily meteen haar rare gedrag, want ze had me weer in het middelpunt gezet. Iedereen staarde me na toen ik naar mijn plaats liep. Arthur keek me met open mond aan. Waarschijnlijk had hij overwogen dat het bluf was dat ik met Lily naar het bal zou gaan, maar onze entree samen moest hem overtuigd hebben. Ashley hield de arm van haar vriendin vast, alsof ze bang was dat Jenniffer me elk moment aan zou vliegen. Zo keek ze tenminste.

Ik wenste vurig dat Arthur haar niet verteld had dat ik met Lily naar het bal zou gaan. Ik moest nog een tactiek uitstippelen hoe ik dat het beste kon brengen. Misschien zou ik het wel niet vertellen. Nee, dat was wel erg cru. Misschien moest ik wachten tot ze er zelf over begon en dan tussen neus en lippen door vermelden dat ik niet met haar ging. Of misschien gewoon vragen met wie zij naar het bal zou gaan. Hoe dan ook, het zou niet prettig worden. Ik groette ze zo normaal mogelijk als anders en plofte naast Arthur neer. Hij boog zich onmiddellijk naar me toe.

'Heb je Lily opgehaald?' vroeg hij bewonderend.

Hij deed geen moeite om te fluisteren en Jenniffer verwachtte duidelijk ook een antwoord op die vraag en keek me aan.

'Nee,' zei ik waarheidsgetrouw.

Zou Lily me verlinken als ik zou zeggen dat ik dat wel had gedaan?

'Hebben jullie gepraat?' vroeg Arthur nieuwsgierig.

Ik rolde met mijn ogen.

'Ja, natuurlijk.'

Arthur's ogen schoten een moment naar Jenniffer en toen weer terug naar mij.

'En?' drong hij aan.

'Als je haar een beetje leert kennen, is ze lang zo raar nog niet,' loog ik.

Jenniffer liet wat lucht ontsnappen. Ik keek haar aan alsof ik haar nu pas zag.

'Sorry dat ik niet terug sms'te, Jen, ik was in slaap gevallen,' knipoogde ik nonchalant.

Ze kon er beter aan wennen dat ze niet meer nummer één was.

Ze richtte zich hoogmoedig op haar boeken en reageerde niet.

'Ga je nog steeds met Lily naar het bal?' fluisterde Arthur.

'Ja,' fluisterde ik terug.

'Wauw… Lily in een jurk,' droomde Arthur.

'Hey,' siste ik vermanend.

Arthur grijnsde.

'Sorry, ik kan het niet helpen,' grinnikte hij.

'Je boft maar weer,' voegde hij er wat jaloers aan toe.

'Ach…' zei ik zo onverschillig mogelijk.

Hij moest vooral denken dat het me totaal geen moeite had gekost.

'Je hebt Jenniffer toch nog niks verteld?' vroeg ik hem.

Hij schudde zijn hoofd.

'Als je het haar vertelt, zorg dan dat ik er niet bij ben.' Arthur rilde alleen al bij de gedachte. 'Dat is iets wat ik absoluut niet mee wil maken.'

Ik grijnsde een beetje.

'Deal!' antwoordde ik.

'Carter, Arthur, opletten!' klonk het vooraan.

Gehoorzaam richtten we ons op onze boeken. Mijn gedachten dwaalden al snel af naar Lily, die maar een paar meter verderop zat. Ik keek stiekem naar haar. Arthur's woorden hadden me aan het denken gezet. Lily zag er in haar simpele T-shirt al uit als een godin. Lily in een jurk… Voor één moment wist ik zeker dat ik zoiets zou besterven. Op dat moment was ik zo trots op wat ik bereikt had: Lily, de bloedmooie, voor iedereen onbereikbare nieuweling, behalve voor mij. Ik had het weer voor elkaar gekregen, en hoe eerder de rest van de school dat te horen kreeg des te beter. Maar, dat betekende wel dat ik het Jenniffer moest vertellen. Even overwoog ik om het gerucht over Lily en mij gewoon te laten verspreiden en kijken hoe Jenniffer erop zou reageren. Misschien was dat nog niet eens zo'n slecht idee. Behalve dat Lily naast het bal nog steeds niets met me te maken wilde hebben! Misschien zou ze nog van gedachte veranderen en alsnog niet meegaan. In dat geval zou ik een back-up nodig hebben. Daarom kon ik het Jenniffer maar beter zo vriendelijk mogelijk vertellen.

'Ga je niet bij Lily zitten?' vroeg Arthur in de pauze toen Ashley en Jenniffer hun eten gingen halen.

'Natuurlijk niet, ik blijf bij jullie,' antwoordde ik.

Arthur, die niet wist dat Lily me eigenlijk zo ver mogelijk uit haar buurt wilde houden, zag dit waarschijnlijk als een erg loyaal gebaar voor onze vriendschap. Ik deed het daarentegen uit zelfbescherming. De dag sloop voorbij en het werd met het uur warmer. Jenniffer klaagde dan ook luid over de hitte. Ashley viel haar natuurlijk bij, met als gevolg dat Arthur en ik het liefst onze oren wilden dichtstoppen, maar toen de zon in de middag op zijn warmst was, moesten zelfs Arthur en ik de meiden gelijk geven. Het was niet om uit te houden. Er werd dan ook luid gekreund toen het scheikunde-uur aanbrak, want dat betekende twee dingen: labjassen en branders.

In het scheikundelokaal liet meneer Smith ons zien welke chemische stoffen we moesten verwarmen. Alsof het iemand iets kon schelen. De meeste leerlingen hingen al halfdood over hun tafel, zichzelf koelte toewaaiend met de opdrachtpapieren. Vervolgens zei hij tot mijn grote afschuw: 'Pak nu allemaal een brander.'

'Meneer, alleen van uw brander staat het condens al op de ramen, twintig branders wordt mijn dood!' protesteerde ik. De rest viel me instemmend bij.

'Meneer Johnson, ik ben blij dat u in staat bent om te beseffen dat de temperatuur zal stijgen als we de branders aanzetten, maar u woont nou eenmaal momenteel een scheikundeles bij en als uw gemiddelde hoger dan een drie zou zijn, had ik wellicht uw opmerking kunnen waarderen,' zei meneer Smith.

'Als mijn hersenen geen zuurstoftekort zouden hebben in dit snikhete lokaal, dan zou ik misschien hoger dan een drie staan,' beet ik hem toe.

De anderen grinnikten, maar stonden uiteindelijk toch op om een brander, labjas en veiligheidsbril te pakken. Verraders. Meneer Smith besloot niet meer op mijn standpunten in te gaan en zweeg. Iedereen hees zich kreunend in de belachelijke, witte vodden. Ik kreeg al ademhalingsproblemen als ik er alleen maar naar keek. Ik bleef koppig zitten, weigerend om aan zuurstoftekort te sterven. Opeens ontnam een witte waas mijn gezichtsveld. Ik gooide de labjas geïrriteerd van me af en keek in het grijzende gezicht van Arthur, die een veiligheidsbril op mijn tafel legde.

'Geef het op en trek aan,' gebood hij.

'Waar komt jouw goede humeur opeens vandaan?' vroeg ik chagrijnig.

Meestal had ik Arthur's steun in dit soort situaties.

'Ik en Ashley gaan samen stofjes verwarmen,' antwoordde Arthur vrolijk.

Hij viel dus nog steeds als een blok voor Ashley. Het was grappig om te zien dat hij als een kind zo blij kon worden omdat ze samen een stom scheikundeopdrachtje mochten doen, maar aan de andere kant begreep ik het wel. Arthur was niet zo goed met meisjes als ik. Dit soort kleine gebeurtenissen waren kleine mogelijkheden voor hem om Ashley te laten zien wat hij in huis had. Ik moest toegeven dat hij goed was in scheikunde. Ashley kwam aangehuppeld en voegde zich aan Arthur's zij.

'Wat romantisch,' rolde ik met mijn ogen.

Mijn gezicht verstarde. Wacht, als de twee tortelduifjes samen gingen, met wie zat ik dan opgescheept?

'O, die bril staat me echt niet!'

Ik sloot mijn ogen. Ik had het kunnen weten. Jenniffer kwam voor me staan en eiste mijn aandacht op. Het was grappig hoe snel ik het bestaan van iemand kon vergeten als het me eenmaal niet meer interesseerde. Ik had nu toch zeker bijna een jaar met haar opgetrokken en nu vond ik het al vreemd dat ze mijn scheikundepartner was. Ik trok mijn labjas aan, zette mijn veiligheidsbril op en probeerde Jenniffer te negeren.

'Ik lijk Frankenstein wel in deze outfit,' zei Jenniffer in een beroerde poging om grappig te zijn.

'Ja, inderdaad,' antwoordde ik achteloos. Iets achter Jenniffer's rug had mijn aandacht getrokken.

Ik hoorde Arthur een lach onderdrukken waardoor er een eigenaardig geluid uit zijn keel kwam. Ashley stootte een nerveuze giechel uit, maar hield abrupt op. waarschijnlijk na het gezicht van Jenniffer gezien te hebben. Mijn ogen flitsten naar Jenniffer en, zoals ik verwachtte, stond haar gezicht op onweer. Ze had er zonder twijfel op gehoopt dat ik zou zeggen dat ze nog steeds beeldschoon was, ondanks de bespottelijke jas. Iets wat ik normaal ook gezegd zou hebben, maar aangezien ik haar zeer binnenkort zou moeten dumpen, leek me het niet verstandig haar valse hoop te geven. Mijn ogen dwaalden terug naar de persoon achter Jenniffer's rug: Lily, wie anders? Ze stond krampachtig tegen de muur aangedrukt. Haar ogen schoten verwilderd rond, alsof iedereen in het lokaal haar elk moment aan kon vallen.

'Ben zo terug,' mompelde ik en passeerde Jenniffer, Ashley en Arthur.

Ik voelde hun ogen in mijn rug prikken, terwijl ik Lily voorzichtig naderde. Zodra ik een stap in haar richting had gezet, hadden haar ogen zich in een fractie van een seconde op mij gericht. Haar angst was overduidelijk, maar naast angst was er ook die haat weer in haar ogen, die ik niet kon plaatsen. Ik zocht naar iets dat haar zo overstuur kon hebben gemaakt, maar naast branders en de leerlingen was er bijna niets in het lokaal. Misschien was ze bang voor vuur. Naarmate ik dichterbij kwam, werd Lily onrustiger. Niemand scheen onze kleine confrontatie op te merken, behalve Arthur, Ashley en Jenniffer. Ik wist dat zij zich ook afvroegen wat hier aan de hand was.

'Lily...' begon ik.

Ik kon mijn zin niet eens afmaken. Voor ik de woorden zelfs maar had kunnen bedenken, was ze het lokaal al uitgevlucht. Ik staarde verbijsterd naar de klapperende deur en draaide me om naar de al even verbaasde gezichten van Arthur, Ashley en Jenniffer.

'Waar is Lily heen?' vroeg meneer Smith.

'Ze voelt zich niet zo lekker,' zei ik, nog steeds stomverbaasd.

'Dat was raar,' zei Ashley droog.

Ja, dat was zeker raar.

Ik vroeg mezelf die nacht af of ik me Lily's emoties van vandaag had verbeeld of niet. Ik hoopte dat ze snel op zou houden met deze vreemde vertoningen. Haar accent was al erg genoeg en ik hoefde haar rare acties, zoals voor in de klas over een foto aaien of de klas uit sprinten alsof de duivel je op de hielen zit, er niet bij. Op deze manier zou ze slechter voor mijn reputatie zijn in plaats van beter, maar naast bezorgdheid voor mijn reputatie was er nu ook nog iets anders en dat was... bezorgdheid om haar! Meestal voelde ik dit soort dingen alleen voor Tyler. Het was vreemd dat iemand anders dit beschermende gevoel bij mij opriep. Iemand die ik niet eens zo goed kende. En toch kon ik het niet helpen om me af te vragen of er misschien iets mis was met Lily, of ze misschien mijn hulp nodig had. Lily had een nieuwsgierigheid bij me gewekt waar ik niet vanaf kon komen. Het irriteerde me mateloos. Toch was ik vastbesloten uit te vinden wat Lily's probleem was.

4. Irritatie

De volgende dag besloot ik Lily op te zoeken. Ze had me duidelijk gemaakt me niet meer te willen zien na het gala, maar misschien zou ze haar mening over mij nog bijstellen. Ik riep mezelf tot de orde. Ik liep hier te peinzen over een meisje! Ik had mezelf sinds de brugklas verre van dit soort onzekere situaties gehouden! Het was gewoonweg belachelijk. Toch kon ik het niet opbrengen Lily met rust te laten, hoe slecht ze ook voor mijn ego was. Ik moest en zou erachter komen wat er met haar aan de hand was. Het simpelst was om het haar gewoon te vragen en dat was ik dan ook van plan. Als ze me weer zo'n vaag of geen antwoord zou geven, moest ik iets anders verzinnen.

Ik vond Lily bij de kluisjes, waarvan ze de sleutel overduidelijk de verkeerde kant op draaide, tenminste als ze hem probeerde te openen en daar leek het wel op. Een luide krak bevestigde mijn vermoedens en ik zag hoe Lily nu nog maar de helft van haar sleuteltje in haar hand hield.

Ze sloeg furieus op haar kluisje, terwijl ze in haar vreemde accent mompelde: 'Andere kant, andere kant.'

Ik kon een grinnik niet onderdrukken. Zodra ze mijn gegrinnik hoorde, keek ze gealarmeerd op. Haar gezicht was een theatershow van emoties. Eerst verbazing, toen angst – dezelfde als gisteren, maar die werd al snel verdrongen door de haat waar ik nu al zo bekend mee was.

'O, jij weer,' zei ze.

Ik weet niet waarom er een glimlach op mijn lippen verscheen. Ik denk omdat haar afstandelijkheid me begon te amuseren, net zoals haar opmerkingen. Ze reageerde niet zoals ieder ander meisje en in plaats van een belediging begon ik het als een uitdaging te zien. Ik deed een poging de spanning te doorbreken.

'Ik denk niet dat dat de beste manier is om hem te openen,' grijnsde ik.

Haar ogen vernauwde.

'Waarom lach je?' vroeg ze lichtelijk geïrriteerd.

'Het lijkt alsof je nog nooit een kluisje hebt opengemaakt,' legde ik uit.

'Ik heb gisteren pas een kluisje toegewezen gekregen,' zei ze, alsof dat alles verklaarde.

Ze probeerde met haar nagel de resten van haar afgebroken sleutel uit het slot te krijgen. Het viel me nu pas op hoe lang haar nagels waren. Het soort waar Jenniffer jaloers op zou zijn.

'Ik heb geen boeken,' zei ze bedrukt.

Ik zag haar een blik op haar horloge werpen, dat overigens verkeerd omzat.

'Carter, wat doe je eigenlijk hier?' vroeg ze.

Ik keek haar een poosje aan. Het duurde even voordat ik me herinnerde waarom ik hier ook alweer was. Lily leek het geduld niet te kunnen opbrengen om op mijn antwoord te wachten en ging zonder pardon op weg naar ons lokaal. Ik snelde achter haar aan.

'Ik vroeg me af of gisteren alles wel goed met je ging?'

'Onder scheikunde,' voegde ik eraan toe, toen ze niet reageerde.

Ze leek een moment gekweld door die herinnering.

'Ja, prima,' antwoordde ze kortaf en versnelde haar pas.

Zo gemakkelijk liet ik me niet afschepen.

'Weet je het zeker?' vroeg ik.

'Ja, heel zeker,' zei ze scherp.

Het was duidelijk. Ik mocht niet doorgaan op dit onderwerp. Dus ik deed het toch.

'Als er iets is, kan je dat gerust zeggen, dan kan ik je misschien helpen.'

Kom op, vertel me wat er aan de hand is. Ik barst van nieuwsgierigheid hier. Ben ik nog niet edelmoedig genoeg? Ik heb nog nooit zoveel moeite gedaan om iets uit iemand te krijgen, dus vertel het me gewoon!

'Helpen!' zei ze minachtend.

'Ja, helpen,' herhaalde ik.

'Jij… en helpen!' zei ze.

Pardon?

'Wat?' vroeg ik.

'Je weet wat ik bedoel.' Ze stond stil en keek me aan.

Misschien, heel diep van binnen.

'Nee,' antwoordde ik.

'De enige reden dat je met mij praat, is omdat je iets van me wilt of omdat ik iets voor je kan betekenen of in ieder geval omdat het je op een of andere manier ten goede komt.' Ze hield haar hoofd een beetje scheef en bestudeerde met vernauwde ogen mijn gezicht.

'Dat is niet waar!' schoot ik meteen in de verdediging.

Oké, het was waar. Ik hoopte inderdaad dat op dit moment zoveel mogelijk mensen me met Lily zouden zien staan praten. Ik was er inderdaad trots op dat ik met haar naar het bal zou gaan en ja, ik zou en moest erachter komen wat ze voor me verborgen hield.

'Luister, Carter, ik ga al met je naar het bal, oké? Dus je kunt ophouden met me lastig te vallen, want je hebt je zin al gekregen,' snauwde ze.

'Wat als ik je nou gewoon beter wil leren kennen?' zei ik zogenaamd gekwetst.

Ze trapte er niet in.

'Je wil me niet beter leren kennen, je wilt me gebruiken,' antwoordde ze kalm.

Ja, dat wilde ik, waarom prikte ze zo makkelijk door me heen?

'Waarom kunnen we niet gewoon met elkaar omgaan?' deed ik nog een poging.

Ze trok haar wenkbrauwen op.

'Omdat ik dat niet zou overleven,' zei ze droog.

'Wat is dat met die houding?' vroeg ik scherp.

Dan maar de tegenaanval inzetten.

'Ik wil weten wat je van me wil,' snauwde ze terug.

'Een vriend voor je zijn!'

Ze zette grote ogen op. Alsof ik zojuist iets ontzettend belachelijks had gezegd. Dat had ik ook, maar als ik soft moest spelen om haar geheimen uit haar te krijgen, dan zou ik dat doen.

'Wat er ook met je is, ik wil je gewoon helpen,' probeerde ik weer.

Ik zag nu pas dat de haat in haar ogen voor een moment verdwenen was. Ze leek zelfs een beetje verward, maar hoe meer secondes er voorbij tikten hoe harder haar blik weer werd.

'Of is dat heel ver gezocht?' voegde ik eraan toe.

'In jullie wereld wel,' zei ze en stampte het lokaal in.

Jullie wereld? Wat had dat nou weer te betekenen? Wat was ze ook verschrikkelijk irritant! Ik deed hier zo mijn best, maar ze wees me keer op keer af! Natuurlijk had ze gelijk en waren mijn bedoelingen niet helemaal zuiver. Natuurlijk gebruikte ik haar voor het grootste deel, maar deed niet iedereen dat?

'Hey C,' groette Arthur.

'Hey Arthur,' groette ik.

'Hey Carter!' Jenniffer gooide enthousiast haar armen om me heen terwijl ik plaats nam. Blijkbaar was alles weer vergeten en vergeven. Of misschien had ze Lily zojuist kwaad bij me vandaan zien stampen.

'Hey Jen.' Ik kuste haar wang.

Ik kon haar nog maar beter een tijdje tevreden houden, totdat ik wist waar ik aan toe was met Lily. Arthur trok zijn wenkbrauwen naar me op toen Jenniffer naar haar plaats liep.

'Wanneer ga je het haar vertellen?' drong hij aan, toen de les al was begonnen.

'Zit me niet zo op mijn huid,' zei ik geïrriteerd.

'Ik zeg het alleen maar! Je kan het haar beter nu vertellen, voordat ze het van een ander hoort,' zei hij geprikkeld.

Mijn hoofd schoot opzij.

'Hoe bedoel je? Niemand anders weet van Lily en mij behalve jij en ik,' zei ik gealarmeerd.

Arthur schoof ongemakkelijk heen en weer op zijn stoel.

'Arthur!' riep ik uit.

'Carter, voor de goede informatie: ik was al met mijn les begonnen! Als jij je mond niet kan houden, kom je maar vooraan zitten,' zei mevrouw Jameson, mijn lerares Engels.

Ja, dat leek me een goed idee, misschien weerhield dat me ervan Arthur een dreun te verkopen.

Mevrouw Jameson keek verbaasd toen ik zonder enig weerwoord naar voren verhuisde.

'Goed,' zei ze als teken dat ze haar verhaal weer ging hervatten.

'Ja, Lily?' vroeg ze.

Ik keek opzij. Lily's vinger was omhooggeschoten.

'Ik heb geen boeken bij me, mevrouw,' zei ze.

Er ging weer een giechel door de klas. Ik was al redelijk gewend geraakt aan haar accent, maar ik besefte dat ik Lily waarschijnlijk meer had horen praten dan al de leerlingen bij elkaar.

'En waarom niet?' vroeg mevrouw Jameson.

'Ze liggen in mijn kluisje en mijn sleutel is kapot,' antwoordde Lily. Als bewijs hield ze de gebroken sleutel omhoog.

'Goed dan,' zuchtte mevrouw Jameson. 'Carter, als jij even naast Lily wilt gaan zitten, dan kan ze met jou meedoen.'

Lily keek met een gezicht alsof ze nog liever haar gebroken sleutel in wilde slikken dan naast mij zitten. Zelf voelde ik er ook niet zo heel veel voor. Ik had genoeg beledigingen naar mijn hoofd geslingerd gekregen voor vandaag.

'Ik zit hier prima, mevrouw, dank u,' antwoordde ik.

'Carter,' zei ze waarschuwend.

Zucht. Lily keek vastberaden voor zich uit. Nee, dit was niet goed. Als we met zijn tweeën waren, dan mocht ze zeggen wat ze wilde, maar in het openbaar, dat was een heel ander verhaal.

Ik moest Jenniffer zo snel mogelijk vertellen dat het over was tussen ons, want des te sneller kon ik de rest van de school laten weten dat Lily en ik samen naar het bal zouden gaan. Als ze me de rest van de les bleef negeren, dan zou Casey's verhaal nog best aannemelijk klinken.

Ik wendde me naar Lily. Als we op een fluisterende toon ruzie maakten, zou de rest van de klas gewoon denken dat we een doodnormale conversatie hadden. Ik deed mijn mond open om iets tegen haar te zeggen, maar ze was me voor door haar vinger tegen mijn lippen te drukken. Al mijn nekharen gingen overeind staan zodra ik haar aanraking voelde, maar ik voelde haar niet alleen, ik proefde haar ook! Het duizelde me, hoe hardhandig ze me ook de mond probeerde te snoeren. Haar zachte huid, haar geur, haar smaak. Het was allemaal net zo overweldigend als haar schoonheid. Was ik nog in het klaslokaal? Waren er echt nog maar twee seconden voorbij gegaan?

'Luister, Carter Johnson,' fluisterde ze dreigend, 'de hele les geen woord. Begrepen? Niet één!'

Waarom zou ik willen praten? Ik zou nooit meer een woord tegen haar reppen als ze dat niet wilde. Als ik maar de rest van de les naar haar zou mogen kijken, haar zou mogen voelen. Zodra ze haar vinger van mijn lippen verwijderde, werd alles weer wat helderder. Haar schoonheid was nog even ademontnemend als altijd, maar mijn gedachten vlogen niet meer naar alle kanten van mijn brein. Ik kon het zelfs weer opbrengen terug te snauwen, ook al klonk het misschien niet zo overtuigend als anders.

'Ik snap niet waarom je met me naar het bal gaat, als je me zo verafschuwt,' fluisterde ik chagrijnig.

'Zoals je al zei, de kans is klein dat iemand anders me vraagt,' antwoordde ze zachtjes, maar niet minder intimiderend.

'Dus?' vroeg ik niet-begrijpend.

'Ik wil gaan. Ik wil niet de hele avond... thuiszitten,' antwoordde ze.

Dus dat was het. Ik gebruikte haar voor mijn reputatie, zij gebruikte mij om naar het bal te kunnen gaan.

Ik werd opgeschrikt uit mijn gedachten door mevrouw Jameson. Haar stem ging twee octaven omhoog en dat kon maar één ding betekenen: Shakespeare. Een onderwerp dat ze geweldig vond om met ons te bespreken. Vaak ging dat

41

gepaard met wilde dramatische handgebaren en tonen in haar stem die varieerden van laag naar hoog en andersom. Er ging een zucht door de klas, die er duidelijk niet zo enthousiast over was als mevrouw Jameson. Alleen Lily gaf geen krimp. Ik bestudeerde haar gezicht om te kijken of er enig spoortje van verveeldheid van af te lezen was. Haar ogen ontmoetten die van mij.

'Wat kijk je?' vroeg ze chagrijnig.

'Wat vind je van Shakespeare?' vroeg ik.

'Wat is een Shakespeare?' vroeg ze geprikkeld.

'Je weet niet *wie* Shakespeare is?' snoof ik minachtend.

'Had ik niet gezegd dat jij je mond moest houden?' sneerde ze.

'Zal ik het je vertellen?' vroeg ik geamuseerd.

'Nee, bedankt,' zei ze koppig. 'Ik vraag het wel aan iemand die er verstand van heeft.' Ze stak haar vinger in de lucht.

'Ja, Lily?' vroeg mevrouw Jameson.

Ik sloeg mezelf voor mijn voorhoofd.

'Mevrouw, wie is Shakespeare?' vroeg Lily onschuldig.

Gelach steeg op uit de klas.

Mevrouw Jameson keek Lily even zwijgend aan en ik wist dat ze op dat moment in haar hoofd afging of Lily een grapje maakte of serieus was, maar niemand die Lily's gezicht zag, kon haar niet anders dan serieus nemen. Lily wachtte geduldig op haar antwoord.

'Kindje, je kent Shakespeare niet? Uit welke hoek van de wereld kom jij?'

Typisch mevrouw Jameson, altijd even subtiel, net als Lily trouwens.

'Uit de linkerhoek,' antwoordde Lily.

Ik hoorde gegniffel.

'Pardon?' vroeg mevrouw Jameson.

'Geografisch gezien…' begon Lily.

'Niet zo brutaal jij!' klonk mevrouw Jameson's schelle stem.

'Ik zeg alleen maar dat…' probeerde Lily weer.

Ik legde mijn hand op haar mond voordat ze haar zin af kon maken en een uitbarsting van mevrouw Jameson zou krijgen.

'Ze zal zich de rest van de les rustig houden, mevrouw,' zei ik.

Mevrouw Jameson richtte zich verbaasd tot mij.

'Zo, Carter, meneer Andrews heeft je zeker wat manieren bijgeleerd. Na zoveel bezoekjes aan de conrector zou het ook bijna onmogelijk zijn om een onbeschofte vlegel te blijven,' en ze waggelde terug naar haar bureau.

Ik keek naar Lily, tevreden over mijn reddingsactie, maar Lily staarde me beledigd aan.

'Ik heb je zojuist gered van een aantal uur nablijven, dat besef je toch wel?' vroeg ik fluisterend. Ik had zo'n idee dat ze dat niet deed.

Er klonk een diep gerommel uit haar borst en ze liet haar tanden zien. Ik knipperde verbaasd. Ze gromde! Of zou het haar maag geweest zijn? Wat deed ik toch verkeerd dat ze me zo haatte?

Lily stak haar hand op.

'Ja, Lily?' zuchtte mevrouw Jameson.

'Mevrouw, zou ik ergens anders mogen...' Mijn hand schoot weer voor haar mond. Nee, Lily, niet goed voor mijn reputatie als jij ergens anders wil gaan zitten.

Lily sloeg mijn hand weg. Au! Ze was sterk.

'Carter!' riep ze geïrriteerd uit.

'Carter, Lily!' riep mevrouw Johnson kwaad.

'Als ik jullie nog één keer hoor, gooi ik jullie er allebei uit!' zei ze nijdig.

Lily schoof kwaad de boeken van het midden op haar tafel, als teken dat onze samenwerking voorbij was.

'Euhm... dat zijn mijn boeken,' zei ik voorzichtig.

Ze smeet de boeken dicht en verkocht me er een klap mee.

'Au!' riep ik uit en greep naar mijn hoofd.

Ik keek haar verbouwereerd aan en de klas barstte in lachen uit.

'Carter, Lily! Eruit!' schreeuwde mevrouw Jameson.

'Maar, mevrouw!' klaagde Lily.

'Nu!' zei mevrouw Jameson onverbiddelijk.

We stonden allebei op. Lily nog steeds met mijn boeken in haar handen. Ik gooide mijn tas over mijn schouder en wreef over mijn hoofd terwijl we de klas uitliepen. Waarom deed ze me dit aan? Ze had me in het openbaar gemept! Nu moest het wel heel snel uitkomen dat we samen naar het bal gingen, want dan zouden we gewoon twee tortelduifjes lijken die constant kibbelden. Je hebt dat soort stelletjes.

'Waarom sloeg je me?' vroeg ik, nog steeds van mijn stuk gebracht.

Ze was al een eind voor me uitgelopen en draaide zich nu met een ruk naar me om.

'Omdat jij me in de problemen brengt, omdat jij je mond niet kan houden en omdat jij een irritant en arrogant joch bent!' Haar stem werd bij elk punt dat ze opnoemde harder en haar gezicht kwam telkens wat dichterbij die van mij. Al met al was ze op dit moment heel beangstigend.

'Euhm... Lily?' vroeg ik kleintjes.

'Wat?' snauwde ze.

'Mag ik mijn boeken terug?' vroeg ik, nadat ik mijn stem had teruggevonden. Het was toch belachelijk dat ik me door dit grietje liet afschrikken.

Ik kreeg mijn boeken terug. Dat ik bijna achterover viel toen ik ze aannam, laten we dan maar terzijde.

5. Catfights en Shakespeare

Gedurende de pauze waren Arthur, Jenniffer en Ashley druk bezig de plannen voor vrijdag te bespreken: filmavond. Ik had nu wel iets anders aan mijn hoofd. De drie waren hevig in discussie over welke film het moest worden en als mij iets gevraagd werd, bromde ik woorden met niet meer dan twee lettergrepen, zoals ja, misschien, waarom en nee. Ik deed niet eens moeite om te luisteren naar wat er werd gezegd. Voor mij part zochten ze de slechtste zwijmelfilm uit die ze konden bedenken, zolang ik maar de kans kreeg om mijn gedachten te ordenen.

Twee dingen waren onmiskenbaar: Lily was beeldschoon, en ik kon het niet helpen mezelf af te vragen waar ze al die perfecte genen vandaan had. Hoe zouden haar ouders eruit zien? Als ik ze ooit zou ontmoeten, kon ik meteen aangeven dat hun dochter gedragsproblemen had. Ik wreef verbitterd over de bult op mijn hoofd.

Ik had weleens gehoord van veredeling. Waarschijnlijk een van die wonderlijke momenten tijdens biologie van meneer Wilson dat ik wel opgelet had. Zo kruiste men dieren met gunstige eigenschappen, zodat hun nakomelingen tot bijna perfect verklaard konden worden. Had meneer Wilson geen schaap als voorbeeld gebruikt? Ik moest bijna lachen bij de gedachte. Vergeleek ik Lily nu met een schaap? Ik dacht aan het mooiste schepsel op aarde en ik vergeleek haar met een schaap. Therapie zou misschien te overwegen zijn. Nee, Lily was niet te vergelijken met... iets. Ze was perfect, maar dat bracht me tot het tweede onmiskenbare punt: ze gebruikte die schoonheid niet. In plaats van mensen te verleiden, stootte ze juist iedereen af en ik stond bovenaan dat lijstje, maar waarom? Wat had haar die afkeer voor haar medemens gegeven? Wat gaf haar die afkeer voor mij?

Lily had een flinke portie mensenkennis en daarom ook een flinke portie mensenhaat. Ze had meteen door mijn masker heen geprikt. Ze wist dat ik haar gebruikte voor mijn reputatie en haar geen blik waardig zou gunnen als ze er niet zo uitzonderlijk mooi uit had gezien. Toch ging ze met me naar het bal. Correctie: ze wilde naar het bal en ik gaf haar die kans, dus ging ze mee. Niet omdat ze per se met mij wilde gaan. Dit deed mijn ego meer zeer dan die klap op mijn hoofd. Ze wilde simpelweg niet thuiszitten, had ze gezegd, en ze gebruikte mij omdat ze wist dat ik haar net zo goed gebruikte, zo stonden we quitte.

Er was dus iets mis thuis. Ik had haar tot dusver nog nooit over haar ouders of haar familie horen praten, het was ook niet ter sprake gekomen, maar één ding wist ik wel: die vrouw van haar eerste schooldag en de chauffeur van het busje konden onmogelijk haar ouders zijn. De verschillen waren te groot! Misschien waren dit haar pleegouders en hadden ze vaak ruzie. Dat had ik met mijn vader ook. Ik was niet graag thuis als hij er was, maar daarom stootte ik andere mensen niet af, integendeel. Misschien waren haar ouders nooit thuis en was ze eenzaam en had ze daarom nooit geleerd hoe ze met mensen om moest gaan. Of was dat psychologisch gezien erg ver gezocht? Of misschien had ze wel geen ouders. Misschien waren ze overleden en heeft ze dat nooit kunnen verwerken. En stelt ze zich daarom niet open voor anderen, bang om meer dierbaren te verliezen, bang voor meer pijn. Oké, iets minder drama, Carter. Nog even en ik kon mijn eigen soap beginnen.

Ik masseerde met mijn vingers over mijn slapen, in een poging Lily uit mijn hoofd te bannen, maar tevergeefs. Ik staarde afwezig voor me uit en merkte nauwelijks dat Jenniffer constant mijn aandacht probeerde te trekken.

'Wat?' vroeg ik geïrriteerd, toen ik door al dat gezwaai voor mijn gezicht de draad van mijn gedachten kwijtraakte.

'Carter, waar zit je met je hoofd? De bel is al lang gegaan,' zei Jenniffer.

Ik keek in drie verbaasde gezichten. Ik knipperde beduusd.

'Sorry,' mompelde ik en stond op.

Ik slingerde mijn tas over mijn schouder en ging op weg naar het enige uur waar ik mijn frustraties kwijt kon: gym.

Arthur versnelde zijn pas, kwam naast me lopen en vroeg: 'Carter, wat is er nou? Je hebt de hele pauze niets gezegd.'

Ik besefte dat ik inderdaad belachelijk bezig was. Ik liet me door Lily meer beïnvloeden dan gezond was. Ik nam me voor me iets meer bezig te houden met mijn vrienden in plaats van met alleen Lily. Ik gaf Arthur een klap op zijn schouder.

'Ik was er niet helemaal bij, ik ben doodop. Ik heb gisteravond ruzie gehad met mijn vader. Alweer.' Dat was niet eens een leugen.

'O,' zei Arthur alleen maar, als teken dat hij het begreep.

Zo, het onderwerp van mijn gedrag in de pauze zou niet meer aangesneden worden.

In de kleedkamer ontstond het type gesprek waar ik dol op was: een gesprek

46

met mij als onderwerp.

'Carter, ik hoorde van Arthur dat je Lily mee naar het bal neemt,' zei Jason Miller, een jongen waar ik onder andere biologie mee had.

Ik keek veelbetekenend naar Arthur, maar die was opeens druk op zoek naar zijn deodorant.

'Ja, dat klopt,' zei ik, alsof het niets was.

'Maar dit blijft binnen deze kleedkamer. Het is nog een geheimpje,' en ik knipoogde hem waarschuwend.

Jason floot tussen zijn tanden.

'Lily Jones!' zei hij bewonderend.

'Ze is een stuk!' viel Frank − een van de andere jongens − bij.

'Hoe heb je dat voor elkaar gekregen?' vroeg weer een ander.

'Toen ik haar probeerde aan te spreken, keek ze me aan alsof ze me elk moment levend zou villen!' zette iemand die vraag kracht bij.

De groep nieuwsgierige jongens verzamelde zich om me heen. Ik haalde nonchalant mijn schouders op.

'Een kwestie van aanpakken,' antwoordde ik. 'Je moet weten wat een meisje wil horen,' voegde ik eraan toe.

'En Lily… Lily moet vooral voorzichtig benaderd worden, en het belangrijkste is om geen nee te accepteren,' legde ik uit.

'Je hebt een gave, jongen.' Jason gaf me een klap op mijn schouder.

De rest viel hem instemmend bij. Ik glimlachte. In de gymzaal aangekomen sprak Casey me aan terwijl ze me passeerde.

'Hey Carter!' Ze knipperde met haar wimpers.

'Ik hoorde van Arthur dat je met Lily naar het bal gaat. Ik dacht dat jullie het niet zo goed met elkaar konden vinden. Ik had het blijkbaar verkeerd,' zei ze.

'Ja, dat zag je inderdaad verkeerd,' antwoordde ik glimlachend, zielsgelukkig dat mijn plan de juiste uitwerking had.

'Nou, als je nog van gedachte verandert, je weet waar je me kunt vinden,' knipoogde ze en liep door, omdat haar beste vriendin Norah Abigail haar dringend aan haar arm trok.

'Sorry,' verontschuldigde ze zichzelf voor haar vriendin.

Ik grijnsde en wendde me tot Arthur met de vraag: 'Aan hoeveel mensen heb je het precies verteld?'

'Misschien drie of vier,' mompelde hij.

Ik kon nu niet kwaad op hem zijn. Niet na de reacties die ik erop gekregen had. Jenniffer en Ashley kwamen giechelend aangelopen en gingen bij ons staan. Jenniffer's gezicht stond vrolijk. Goed, ze wist dus nog van niets. Nu anderen wel wisten van mij en Lily, mocht het vertellen aan Jenniffer van mij zo lang mogelijk uitgesteld worden.

Onbewust zochten mijn ogen naar Lily. Arthur zag blijkbaar waar ik op uit was en knikte in Lily's richting. Ze zat op de bank. Keurig wachtend tot de les zou beginnen.

'Dat doet me eraan denken,' begon Arthur, 'als je Lily ophaalt voor het gala, dan kun je wel met ons meerijden, mijn vader heeft een limousine geregeld.'

Hoewel ik Arthur gechoqueerd aankeek, duurde het een halve seconde voor zijn glimlach verdween in een betrapte blik. Ik zag hoe Jenniffer's doordringende ogen zich van Arthur afwendden naar mij. Oeps.

'Waar heeft hij het over?'

Grote oeps.

'Jenniffer,' verbeterde Arthur zichzelf.

'Als je Jenniffer ophaalt, kunnen jullie wel met ons meerijden.'

Ik keek hoopvol naar Jenniffer. Tevergeefs, ze slikte het niet.

'Arthur, voor wat voor een idioot zie je me aan?' beet Jenniffer hem toe.

'Jen, rustig,' probeerde ik haar te sussen.

'Is het waar? Ga je met haar?' Ze spuugde de woorden in mijn gezicht en wees richting Lily.

Onze ruzie begon onmiddellijk de nodige aandacht te trekken.

'Je had me beloofd dat ik er niet bij zou zijn als je het haar zou vertellen,' kreunde Arthur.

'Beloofd? Wie loopt het aan iedereen rond te bazuinen en is zo stom erover te beginnen?' snauwde ik.

Ik hoorde Jenniffer naar adem happen.

'Dit is al langer gaande?' piepte ze.

'En andere mensen weten er al van?' vroeg ze in opbouwende woede toen ik niet reageerde. 'Dus jij gaat met haar naar het bal?' vroeg ze sissend toen ik nog steeds geen antwoord gaf.

Geen uitweg meer mogelijk. Ze zou er vroeg of laat toch achter komen. Ik zag uit mijn ooghoek hoe Arthur onopvallend zo ver mogelijk bij ons vandaan probeerde te schuifelen.

'Ja,' antwoordde ik.

Ik zag Jenniffer slikken, waarschijnlijk een waslijst van scheldwoorden.

Iets wits kwam onze kant uitrollen.

'Jenniffer! Gooi je die bal even terug!' klonk het aan de andere kant van de zaal.

Jenniffer raapte de bal op. Op haar gezicht blonken tranen van woede en teleurstelling.

'Rotzak!' schreeuwde ze en ik kreeg met een knal de bal tegen mijn gezicht aan. Ik voelde mijn wang tintelen.

'Ashley! Kleedkamer, nu!' brulde Jenniffer en liep stampvoetend de zaal uit. Ashley holde als een gehoorzaam hondje achter haar aan.

'Subtiel,' merkte Arthur op.

Ik wreef over mijn gezicht.

'Waarom proberen mensen mij vandaag te verwonden?' vroeg ik geïrriteerd.

'Dat is waar ook. Lily, waarom sloeg ze jou met dat boek?' vroeg Arthur nieuwsgierig.

Ik keek Arthur waarschuwend aan, terwijl ik met mijn hand over mijn brandende wang wreef.

'Oké, je wilt er niet over praten. Ik snap het,' grijnsde Arthur.

'Ik neem aan dat het nu geen geheim meer is, Carter?' merkte Jason op, terwijl hij langsliep.

Ondanks de pijn in mijn gezicht slaagde ik erin te lachen.

'Nee, dat denk ik ook niet,' grijnsde ik terug, in een poging de hele situatie grappig over te laten komen.

Jason bulderde een lach.

'Je bent me er een, Carter,' lachte hij, terwijl hij doorliep.

Ik grinnikte, en Arthur ook.

'Nou dat hebben we in ieder geval gehad,' zei hij vrolijk.

Ik gaf hem een speelse stomp. De enige die niet blij leek te zijn met de situatie was Lily. Ze zat afgezonderd op het hoekje van de bank en ze negeerde me dit keer niet. Integendeel, ik had haar nog nooit zo woedend zien kijken en ik prijsde mezelf gelukkig dat ik op vijftien meter afstand van mijn date stond.

'Oké allemaal, eerst een warming-up!' Meneer Davis klapte in zijn handen als teken dat de les ging beginnen.

'Vier rondjes rond de zaal graag!' riep hij.

Er klonk gekreun, vooral bij de meisjes.

'Kan iemand mij vertellen waar Jenniffer en Ashley zijn?' vroeg meneer Davis ongeduldig.

'Die komen zo terug,' zei ik zelfverzekerd.

Er klonk gegrinnik vanaf de kantlijn. Meneer Davis zuchtte.

'Goed dan. Waar wachten jullie nog op? Vier rondjes, nu!' Hij blies op zijn fluitje.

De groep kwam langzaam in beweging en ook Arthur en ik zetten de looppas in.

'Goed zo, Lily. Zien jullie dat jongens? Daar kunnen jullie een voorbeeld aan nemen,' riep meneer Davis.

Ik zocht naar Lily om te zien wat ze precies zo goed deed. Toen ik haar zag, vergat ik van verbazing te rennen en Arthur knalde tegen me op. Lily was al aan de andere kant van de zaal. Ze lag zeker zo'n twintig meter voor op de rest. Arthur gaf me een fikse duw, zodat ik weer door zou lopen. Ik struikelde verder en hield mijn ogen op Lily gericht. Ze deed me nog het meest aan een professionele hardloopster denken, die je op tv zag. Ze maakte lange slagen met haar benen en het leek haar totaal geen moeite te kosten. Ik wist niet dat een persoon zo snel kon zijn en ik verwachtte dat ze elk moment in een waas zou veranderen. Als het niet zo fascinerend was, zou het ronduit gênant zijn dat een meisje zo veel sneller was. Nog even en ze zou ons van achter in halen. Toen ze dat uiteindelijk ook deed, hadden niet veel mensen meer de motivatie om verder te rennen, behalve een paar jongens die vast besloten waren zich niet in te laten maken door een meisje, maar ze hadden geen schijn van kans. Voor Lily haar vierde rondje had afgemaakt, stopte ze plotseling, en wel zo abrupt dat als ze niet zo ver voor had gelegen, de hele groep tegen haar op zou zijn gebotst. Ze greep naar haar rechterarm en begon hevig te hoesten. Zo heftig dat ze op de grond neerzakte.

'Lily!' riep ik geschokt.

Ik maakte me los uit de groep en snelde naar haar toe. Ik knielde bij haar neer.

'Jij,' siste ze toen ik haar overeind probeerde te helpen, 'blijf uit mijn buurt.' Ze kreeg weer een hoestaanval.

Meneer Davis kwam erbij staan.

'Meisje toch, je moet ook niet zo hard aan een stuk doorrennen.' Meneer Davis klopte haar onhandig op haar schouder.

'Ga maar even wat water drinken. Moet Carter even met je meegaan?'

Ik keek niet op voor meneer Davis mijn naam noemde. Iets had mijn aandacht gegrepen. Lily's bovenarmen. Allebei waren ze bedekt met littekens.

'Nee,' zei Lily en stond op. 'Ik ga zelf wel,' voegde ze eraan toe en liep zonder me ook maar één keer aan te kijken de zaal uit.

Ik rees omhoog. Nadat de eerste schrik voorbij was en Lily oké bleek te zijn, barstte de klas in hevig rumoer uit. Ik was nog steeds geschokt, onder andere vanwege haar littekens, maar dat wist ik al snel opzij te zetten. Waar ik echt mee zat, was dat ik zonder enige overweging op Lily afgestormd was, zonder ook maar na te denken over wat anderen daarvan zouden vinden. Dat was zo niets voor mij. Misschien had Lily gelijk en kon ik tot het bal het beste zo ver mogelijk uit haar buurt blijven, want wat ze ook met me deed, het was niet goed. Ik liep terug naar Arthur.

'Wat gebeurde er nou?' vroeg hij.

Ik haalde mijn schouders op.

'Ik weet het niet. Ik denk dat ze gewoon iets te hard heeft gerend,' antwoordde ik.

'Ze is zeker snel,' beaamde Arthur. 'Ik heb nog nooit iemand zo zien rennen en al helemaal geen meisje...' voegde hij eraan toe.

Ik deed mijn mond open om erop in te gaan, maar ons gesprek werd onderbroken door geschreeuw. Geschreeuw dat niet uit de zaal kwam.

Ik vloekte en rende de zaal uit, met Arthur op mijn hielen. Hij wist net zo goed wat er nu aan de hand was als ik. Lily was natuurlijk niets-vermoedend naar de kleedkamer gegaan voor een slok water, niet-wetend dat haar daar een ware hel te wachten stond. Ik merkte al gauw dat het niet alleen Arthur was die me gevolgd was. De hele klas was achter ons aangestommeld om dit bij te wonen.

'Hij is van mij en je blijft uit zijn buurt!' klonk het krijsend.

Ik gooide zonder kloppen de deur van de meisjeskleedkamer open.

'Wie denk je wel niet die je bent, dat je hier gewoon kan komen en andermans vriendje stelen?' schreeuwde Jenniffer.

Ze had een heel onaangenaam stemgeluid als ze zo hysterisch gilde en Lily vond dat blijkbaar ook: ze stond angstvallig in een hoek van de kleedkamer en keek doodsbenauwd. Haar blik liet Jenniffer niet één keer los.

'Stop met schreeuwen,' zei Lily kleintjes.

Ze leek niet te begrijpen waarom Jenniffer zo kwaad was. Ze zag er angstig uit. Was ik de enige die dit doorhad? De rest leek te genieten van het drama. Iets wat ik anders ook had gedaan als Lily niet zo door en door benauwd had gekeken.

'Stoppen met schreeuwen? Waarom zou ik stoppen met schreeuwen? Stom kind dat je er bent!' Jenniffer deed dreigend een stap in Lily's richting, iets waarvan ik uit Lily's lichaamstaal opmaakte dat ze beter niet had kunnen doen. Zonder enige waarschuwing haalde Lily uit naar Jenniffer. Een enkele seconde was het muisstil, waarna Jenniffer naar haar gezicht greep en begon te gillen. Mijn mond zakte open. Drie bloederige strepen liepen over haar wang. Geschokte leerlingen verzamelden zich om Jenniffer heen, die theatraal stond te snikken. Ook Arthur had zich losgemaakt uit de groep omstanders en snelde naar haar toe.

'Wat is hier in vredesnaam aan de hand?' brulde meneer Davis, die zich eindelijk door de groep leerlingen had weten te wurmen, die de ingang blokkeerde.

'Lily heeft Jenniffer gekrabd!' krijste Ashley.

Ik keek naar Lily. Ze was op de grond gezakt en zo ver mogelijk in de hoek gekropen. Ze probeerde zich kleiner te maken door haar armen om haar opgetrokken knieën te slaan. Het was een heel meelijwekkend gezicht. Ze trilde over haar hele lichaam, maar het doodenge was dat haar ogen nog steeds op Jenniffer gericht waren, wijd opengesperd en de diepgroene kleur liet haar er angstaanjagend uitzien.

'Hier jij,' brulde meneer Davis, terwijl hij een stap in Lily's richting deed.

'Laat haar met rust. Ziet u niet dat ze doodsbang is?' riep ik.

Het werd doodstil onder de leerlingen, zelfs Jenniffer hield op met snikken en keek me verbouwereerd aan.

'Ik zou ook doodsbang zijn, doodsbang om geschorst te worden! Dit soort gedrag tolereren we hier niet!' Meneer Davis greep naar Lily, maar die schoot onder hem vandaan. Ze loerde brutaal naar hem, maar de angst in haar ogen was nog steeds onmiskenbaar.

'Naar de rector met jou, jongedame! Hier zullen je ouders van horen! Hiervoor word je geschorst! Hiervoor zal je...'

'Houd uw mond!' snauwde ik.

Lily's ogen schoten een moment naar mij. Al die tijd had ze nog niet één keer geprobeerd zichzelf te verdedigen, dus ik vond dat ik dat maar moest doen.

'Carter,' bracht Jenniffer beduusd uit.

Waarschijnlijk had ze verwacht dat ik net zoals Arthur naast haar zou staan om haar te troosten. Meneer Davis keek me dreigend aan.

'Carter, is het nu al zover naar je hoofd gestegen dat je denkt dat je hier de lakens uit mag delen?' vroeg meneer Davis woedend.

Ik keek hem aan. Ik wilde niet terugschreeuwen. Ik zag hoe bang het Lily maakte als iemand schreeuwde, niemand anders dan ik leek dat te beseffen en ik wilde simpelweg Lily niet nog banger maken. Meneer Davis zag mijn zwijgen blijkbaar als het winnen van de discussie, want hij wendde zich weer tot Lily. Snel ging ik tussen hen instaan.

'Ik breng haar wel naar meneer Andrews.' Het was geen voorstel, het was een mededeling.

Ik zag hoe iedereen me aanstaarde. Zonder meneer Davis' reactie af te wachten, greep ik Lily's hand en trok haar mee naar de deur, maar ze rukte zich los en liep met opgeheven hoofd de kleedkamer uit. Dit vond ik een erg ondankbare reactie. Toch snelde ik achter haar aan.

'Johnson!' hoorde ik Davis brullen.

Ik keek niet om, maar ging naast Lily lopen. Haar ogen schoten weer naar die van mij.

'Gaat het een routine worden dat wij er samen uitgestuurd worden?' vroeg ik grappend.

'Waarom deed je dat?' vroeg ze scherp, mijn vraag negerend.

Ik trok mijn wenkbrauwen op. Waar was de dankbaarheid?

'Je leek bang,' antwoordde ik tenslotte eerlijk.

Lily keek me aan.

'Ze schreeuwde...' zei ze tenslotte, alsof dat alles verklaarde.

Ik had gelijk. Het schreeuwen maakte haar bang. Ik keek haar nieuwsgierig aan, maar er kwam geen verdere uitleg.

'Waarom maakt dat je bang?' vroeg ik zonder mijn blik van haar gezicht af te wenden, zoals zij altijd deed.

'Schreeuwen doe je alleen als er gevaar is,' zei ze.

Ik stootte een grinnik uit. Lily's ogen schoten wantrouwig naar die van mij.

'O, sorry, je bent serieus,' zei ik prompt.

Ze antwoordde niet, maar bleef me fronsend aankijken, terwijl we verder liepen.

'Ze dreef me in een hoek,' zei ze uiteindelijk.

Ik staarde haar aan, haar kijk op dingen was bizar!

'Ik weet zeker dat ze dat niet zo bedoelde, je stond gewoon verkeerd,' zei ik om Jenniffer toch nog een beetje te verdedigen.

'Waarom deed ze zo?' vroeg ze.

Ik was verbaasd over deze vraag. Lily was een meisje, zij zou toch moeten weten hoe die onzin tussen vrouwen werkt. Dat valse meidengedoe en zo.

'Ik denk dat ze zich bedreigd voelt,' antwoordde ik nuchter.

Ik wilde hier als man niet te veel in verwikkeld raken.

'Bedreigd?' vroeg Lily. 'Zij bedreigde mij!' riep ze verontwaardigd uit.

'Niet letterlijk,' zei ik.'Je weet wel, figuurlijk,' deed ik een poging het uit te leggen.

'Het is toch duidelijk?' vroeg ik ongeduldig toen Lily niet reageerde.

Ze schudde haar hoofd.

'Nou, jij gaat met mij naar het bal!' Dit was toch simpel!

'O, dus dit is jouw schuld?' Haar stem klonk dreigend, zoals ik haar inmiddels kende.

'Nee, natuurlijk niet.' Misschien een beetje.

'Het is je eigen schuld, jij bent nieuw, mooi, interessant, en je hebt haar plaats ingenomen, je hebt haar territorium betreden.'

'Ah!' zei ze begrijpend.

Ik probeerde te achterhalen wat ik had gezegd waardoor ze het nu wel snapte.

Ze hielp me zelf op weg.

'Wat is haar territorium?' vroeg ze.

Hoe moest ik dit nou weer uitleggen?

'Euhm… ik, dat ben ik,' zei ik vertwijfeld.

Had ik deze conversatie nu echt?

'Jij?'

'Ja.'

'Jij bent haar eigendom?'

'Nee,' zei ik uitdagend, niet-lettend op haar vreemde woordkeus.

'Waarom ben je haar territorium dan?' vroeg ze.

'Omdat…' Ik maakte een wanhopig handgebaar.

'Lily, ze is jaloers!'

'Jaloers?' vroeg Lily, ze keek bijna nieuwsgierig.

'Ja!'

'Waarom?'

'Omdat ze denkt dat wij samen zijn!'

Lily keek weer niet-begrijpend.

'Ik geef het op,' mompelde ik.

'Waarom hielp je me?' vroeg ze.

'Wat maakt het uit?' snauwde ik lichtelijk geïrriteerd.

'Omdat mensen elkaar niet helpen,' antwoordde ze.

'Waar slaat dat nou weer op?' vroeg ik ongeduldig.

'Mensen helpen elkaar niet,' herhaalde ze.

Dit meisje zou mijn dood worden.

'Waarom denk je dat mensen elkaar niet helpen?' vroeg ik.

'Omdat mensen elkaar alleen maar pijn doen en ze alleen maar dingen kapotmaken,' antwoordde ze met een frons.

'Niet alle mensen,' zei ik.

'Alle mensen,' zei ze hatelijk.

'Ik heb je toch net geholpen?' snauwde ik weer.

'Eerst niet,' zei ze.

'Hoe bedoel je?'

'Je praatte alleen maar tegen me omdat je wat van me wilde. En waarom zou dat nu anders zijn?'

'Dus, dat is de echte vraag?'

'Waarom beantwoord je de vraag met een vraag?' vroeg ze kalm.

'Waarom stel jij vragen die alleen maar meer vragen oproepen?' vroeg ik nijdig.

'Is dat een vraag?' Even dacht ik haar ogen te zien twinkelen en haar mondhoeken schoten bijna omhoog, maar het was nog steeds geen lach. Ik gooide mijn handen in de lucht.

'Je bent hopeloos,' antwoordde ik.

'Dat hoor ik wel vaker,' zei ze triest.

'Nee, zo bedoelde ik het niet,' probeerde ik tevergeefs.

'Ga je mijn vraag nog beantwoorden?' vroeg ze.

Ik zuchtte.

'Ik hielp je omdat het toch allemaal een beetje mijn schuld is,' zei ik.

'Je zei net dat het niet jouw schuld was, maar de mijne,' verweet ze me.

Mijn antwoord werd onderbroken door een luid gerommel dat van haar maag afkomstig leek te zijn. Ze kreunde en greep naar haar buik.

'Heb je honger?' vroeg ik.

'Een beetje,' antwoordde ze bescheiden.

Ik zocht in mijn tas en wist er een geplette chocoladereep uit te halen. Ik bood haar de reep aan.

'Sorry, dat is alles wat ik heb,' zei ik.

Ze pakte het twijfelend aan, en zonder de verpakking eraf te halen snoof ze eraan en haalde haar neus op.

'Ugh, dat ruikt niet echt lekker,' was haar reactie.

Mijn ogen rolden bijna uit mijn kassen.

'Het is chocola!' bracht ik uit.

Ze haalde de wikkel eraf.

'Het plakt!' zei ze op haar beurt.

We waren tijdens ons gekibbel blijven staan, vlakbij het kantoortje van meneer Andrews. Ik staarde haar aan en volgde elk van haar bewegingen nauwkeurig. Ze rook er weer aan en hield het toen voor mijn neus als teken dat ik het terug moest pakken.

'Ik heb toch niet zo'n honger,' zei ze.

Weer een luid gerommel.

'Ik geloof dat je maag daar anders over denkt.' Ik nam de reep niet terug.

'Ik hoef het niet!' snauwde ze en gaf me de chocola.

Haar maag protesteerde weer. Ik trok mijn wenkbrauw sarcastisch omhoog en keek haar aan.

'Ach, geef maar hier.' Ze griste de reep weer uit mijn handen.

Ik grijnsde, terwijl ze keurend naar de snack keek. Toen nam ze een hap. Geen kleintje, zoals mensen die eerst willen proeven van iets waarvan ze denken dat ze het niet lekker vinden en Lily leek absoluut niet weg te zijn van chocola, maar ze slokte meteen de halve reep naar binnen. Ze moest wel erg honger hebben. Ze kauwde een moment keurend en toen trok de kleur weg uit haar gezicht en sloeg ze haar hand voor haar mond.

'Oh, help,' kreunde ze en rende naar het dichtstbijzijnde meisjestoilet.

Ik keek haar verbaasd en vooral geschokt na. Het was één ding dat een meisje niet van chocola hield, maar om ervan over haar nek te gaan!

'Gaat het wel goed met Lily?'

Ik keek in het gezicht van meneer Andrews.

'Ik geloof dat ze zich niet zo lekker voelt, meneer,' antwoordde ik verbijsterd.

'In dat geval wachten we hier wel even om te zien of ze straks in staat is mijn kantoor binnen te komen.'

Ik keek hem aan.

'Ik neem aan dat jij en Lily niet voor niets zo dichtbij mijn kantoortje zijn, is het niet, Carter?' Hij keek me afwachtend aan.

Ik schudde mijn hoofd.

'Ik had Lily voor de pauze ook hier, ze was er uitgestuurd bij Engels. Vreemd eigenlijk. Ik hoor van alle leraren dat het zo'n rustig en gehoorzaam meisje is. Niet erg spraakzaam, af en toe wat bot, heeft wat moeite met de leerstof, maar over het algemeen een integer kind. Toch had ze het op een gegeven moment over ene Carter Johnson, dat hij de reden was dat ze eruit was gestuurd.' Hij keek me aan over zijn leesbril, waarmee hij zojuist de documenten in zijn hand nog bestudeerd had.

'Nu tref ik hier de desbetreffende Carter en Lily samen aan, ongetwijfeld er weer uitgestuurd en nu vraag ik me toch af hoe dat komt.' Hij klonk geen moment verwijtend, boos of zelfs streng. Hij zei het gewoon.

'Euhm... slechte timing?' suggereerde ik onschuldig.

Meneer Andrews fronste zijn wenkbrauwen, maar ik zag zijn mondhoeken bewegen en ik wist dat hij een poging deed niet te lachen en dat gaf me de hoop dat ik toch niet meteen van school afgegooid zou worden. Hij deed zijn leesbril af.

'Ik heb gehoord dat Lily nog niet zoveel vrienden heeft, Carter, klopt dat?' vroeg hij.

Ik knikte, een beetje verbaasd over die vraag.

'Geen een, eigenlijk,' antwoordde ik.

'Hm, hoe zou jij dan je relatie met haar beschrijven?' vroeg hij.

Ik dacht na.

'Ik weet het niet, meneer, maar ik geloof niet dat we vrienden zijn.'

Ja, zo was het. We waren geen vrienden.

'En waarom niet?' vroeg meneer Andrews.

'Omdat ze dat niet toelaat,' flapte ik eruit. 'Ze is irritant, koppig en eigenwijs. Elke keer als je probeert een fatsoenlijk gesprek met haar te voeren, krijg je of een vreemde opmerking of een grote mond en...'

'En je vindt haar aardig,' maakte meneer Andrews mijn zin af.

Ik staarde hem aan. Ik had te veel tijd met deze man doorgebracht. Geen goed teken!

'Luister, Carter, persoonlijk denk ik dat het Lily goed zou doen als ze hier wat vrienden maakt, en aangezien jullie al zover zijn dat jullie er samen uitgestuurd worden – een positie die je nooit eerder wilde delen – denk ik dat jij daar de geschikte persoon voor bent,' zei hij.

'Hoe bedoelt u?' vroeg ik ongeduldig.

'Kom nou, Carter, je bent er nog nooit samen met iemand uitgestuurd, want dat zou betekenen dat je de roem zou moeten delen en hier sta je, voor de tweede keer eruit gestuurd met dezelfde persoon, op één dag. Ik denk dat je Lily wel heel erg moet mogen.' Hij grijnsde bijna kwajongensachtig.

Ik knipperde uit verbazing met mijn ogen.

Hij boog zich vertrouwelijk naar me toe.

'Persoonlijk denk ik dat Lily wel wat hulp kan gebruiken en het zou fijn zijn als jij die aanbood, Carter. Hou haar een beetje in de gaten, zorg dat ze niet te veel in de problemen raakt.'

'Waarom denkt u dit allemaal?' vroeg ik gefrustreerd.

Meneer Andrews zuchtte.

'Ik doe dit werk al heel lang, Carter, ik ken mijn leerlingen en ik kan ook zien wanneer iemand speciale aandacht nodig heeft. Lily is er zo een, ook al weet ik niet wat er met haar is, maar dat is ook niet mijn taak om te weten. Het is mijn taak om ervoor te zorgen dat ze hier goed terecht komt,' antwoordde hij.

'En daar zadelt u mij nu mee op?' vroeg ik geprikkeld.

'Zie het maar als vervanging van je straf,' zei hij en draaide zich om en liep verder.

'Wacht, geen straf?' riep ik uit.

'Ik denk dat je aan deze taak wel genoeg hebt,' antwoordde meneer Andrews zonder zich om te draaien.

'En Lily?' vroeg ik.

'Dat is tussen Lily en mij. Je hoeft haar niet hierheen te sturen, ik spreek haar later wel.'

'Maar, meneer, heeft u enig idee wat ze zojuist heeft gedaan?' vroeg ik.

Hij draaide zich om, vlak voor hij zijn kantoor instapte. Hij leek even na te denken. Hij had aan mijn stem gehoord dat het hier niet om praten tijdens de les ging.

'Ik weet zeker dat ik dat snel te horen krijg,' antwoordde hij en verdween zijn kantoor in.

Heel diplomatiek. Ik draaide me zuchtend om en op dat moment kwam Lily het toilet uitgestrompeld.

'Gaat het?' Ik kon niet geloven dat ik zojuist was omgedoopt tot haar babysitter.

Ik vroeg me af of er alsnog consequenties voor mij zouden volgen als ik mijn taak niet goed zou volbrengen. Vrienden worden met Lily, dat kon toch niet onmogelijk zijn?

'Waarom voer je mij zoiets?' Ze vloog me bijna naar mijn keel.

Oké, het was absoluut, zonder enige twijfel onmogelijk!
'Je at het zelf!' antwoordde ik verbijsterd. 'Ik heb het niet achter in je strot geduwd!'
'Maar je hebt het me gegeven!' protesteerde ze.
'Het is chocola! Wie houdt er nou niet van chocola?' vroeg ik geïrriteerd.
'Nou, ik!' antwoordde ze net zo geïrriteerd.
'Als je er niet van houdt, waarom eet je het dan?'
We stonden nu letterlijk tegen elkaar te schreeuwen midden op de gang.
'Omdat ik het nog nooit op had!' bitste ze.
'Wie heeft er nou nog nooit chocola op?' vroeg ik met zowel groeiende verbazing als irritatie.
'Dat zal ik dan ook wel zijn,' snauwde ze.
'Waarom proef je het dan niet eerst, maar slok je meteen dat hele ding op?'
'Omdat ik honger had!' schreeuwde ze.
Nooit een meisje slaan, Carter, nooit een meisje slaan.
'Je bent onmogelijk, weet je dat?'
'O ja? Nou, dan heb ik nieuws voor je, Carter Johnson, jij bent ook niet de makkelijkste!' siste ze en beende weg richting meneer Andrews' kantoor.
'Daar hoef je niet heen!' riep ik haar na.
'En waarom niet?' vroeg ze geërgerd, terwijl ze zich omdraaide.
'Ik heb hem al gesproken en je hoeft er niet heen. Hij zei dat hij je later spreekt,' zei ik iets kalmer.
'Ik geloof je niet,' zei ze met vernauwde ogen.
'Dan niet! Het spijt me dat ik je probeer te helpen!' snauwde ik.
Toen drong het tot me door, het sloeg zo hard bij me in dat het bijna pijn deed. Ik probeerde haar écht te helpen. Niet voor mijn bestwil, voor haar bestwil. Haar ondankbaarheid maakte me furieus.
Ik stampte naar het kantoor van meneer Andrews en gooide de deur open.
'Meneer, Lily is hier voor u! Ze heeft nogal problemen met het feit dat u gezegd heeft dat ze niet bij u hoeft te komen. Hopelijk kunt u haar wel overtuigen.'
Lily keek me geschokt aan. Haar mond vormde een harde lijn en haar groene ogen waren wijd opengesperd.
'Als jullie me excuseren...' zei ik.
'Ik heb een reputatie te redden,' siste ik in Lily's gezicht zodat alleen zij het kon horen. Ik hoorde haar maag weer rommelen, alleen dit keer leek het geluid meer uit haar keel te komen.

Ik liep weg. Er was een reden waarom ik me alleen om mezelf bekommerde en niet om iemand anders. Dit was wat je ervan kreeg. Een grote rotzooi en ook nog eens een portie ondankbaarheid! Ik wist in mijn woede niet waar ik mijn volgende les had, dus besloot ik mijn rooster te checken. Geschiedenis, oorspronkelijk. Alleen was de vrouw al weken afwezig, overspannen, waarvan de schuld vaak op mij afgeschoven werd. Dat betekende dus een uur vrij. Wat te doen in een uur met zo'n humeur als ik had.

Ik piekerde er wel een kwartier lang over. Wellicht was een aantal plooien gladstrijken een goed idee. De zon scheen, dus ik liep naar buiten, naar de plek waar Arthur altijd zat als het lekker weer was. Buiten zag ik hem net aan komen lopen. Hij ging bij de andere jongens van onze klas staan. Daar had ik niet op gerekend. Gelukkig waren Jenniffer en Ashley nergens te bekennen.

'Carter, wat was dat man?' vroeg Arthur toen ik naar hem toe liep.

De rest verwachtte ook antwoord op die vraag. Ik hield er niet van als alle de ogen op deze manier op mij gericht waren, één van de zeldzame uitzonderingen.

'Vrouwen,' ik rolde met mijn ogen en grijnsde.

Met alleen deze opmerking zou ik dit keer niet wegkomen, iedereen keek nog steeds bloedserieus.

'Jenniffer was echt overstuur. Heb je haar gezicht gezien? Het ziet er niet uit!' zei Arthur, als teken dat dit geen grapje was.

'Luister, Jenniffer heeft er zelf om gevraagd.' Ik kon niet geloven dat ik het weer voor Lily opnam.

Misschien kon ik toch beter met Jenniffer naar het bal gaan, maar hoe stom zou dat overkomen? Haar eerst dumpen en vervolgens weer terugnemen?

Jason werd mijn redding. Met zijn vrolijke geest wist hij uiteindelijk toch nog alles in mijn voordeel te draaien. Of hij dat bewust deed, weet ik nog steeds niet.

'Nou, Carter, dan heb je een meisje die zichzelf kan verdedigen én knap is. Hoef je niet de hele tijd de superman uit te hangen,' grijnsde hij vrolijk.

'Maar ik denk dat als je haar dumpt, je er niet zo makkelijk vanaf komt als bij Jenniffer.' Dat deed het hem, de rest barstte in lachen uit, behalve Arthur.

Iemand sloeg me op mijn schouder.

'En, hoe voelt het, Carter, als twee meisjes om je vechten?'

Lang niet zo goed als ik gehoopt had.

Ik lachte maar wat.

'Maar je hebt wel de mooiste, Lily is echt een stuk.'

Lily betoverde nog steeds iedereen, waarschijnlijk omdat ze nog nooit een woord met haar gewisseld hadden. Als ze wisten hoe moeilijk ze was, zouden ze wel anders reageren. Toch vond ik het niet fijn als er zo over Lily gepraat werd, alsof ze een object was, maar mijn reputatie was voorlopig weer gered.

Ik kreeg een stomp van iemand.

'Wat?' vroeg ik.

Verscheidende jongens wezen.

'Carter? Kan ik je even spreken?' vroeg Lily.

Er werd gejoeld. Ik snelde naar haar toe, voordat ze een rare opmerking over me zou plaatsen waar iedereen bij was.

'Wat?' vroeg ik onbeleefd, nadat we buiten gehoorsafstand en buiten het zicht waren.

'Het spijt me,' zei ze.

Dat was wel het laatste wat ik verwacht had. Ik staarde haar aan.

'En bedankt,' voegde ze eraan toe.

Ik was te verbijsterd om antwoord te kunnen geven en knikte alleen maar.

'Ik vroeg me af of je me met nog iets anders wil helpen,' vroeg ze bijna verontschuldigend.

'Met wat?' Ik vroeg het niet onvriendelijk dit keer.

'Shakespeare. Ik snap er niets van,' antwoordde ze wanhopig.

Het was heel vreemd om met Lily te praten zonder tegen haar te schreeuwen en zonder dat ik haar niet begreep.

Als Lily vriendelijk was en niet te veel vreemde reacties plaatste, was het alsof haar schoonheid verdriedubbelde. Ik zag haar zoals al de anderen haar moesten zien en ik begreep waarom iedereen nog steeds zo betoverd raakte door het concept 'Lily'.

'Ja,' antwoordde ik nog steeds wazig, 'ja, natuurlijk.'

'Nu?' vroeg ze afwachtend en iets meer als haar ongeduldige zelf.

'Carter!'

Ik keek om en zag Arthur.

'Ik ben zo terug,' zei ik tegen Lily.

'Zoek jij alvast een plek waar je wil zitten,' voegde ik eraan toe, terwijl ik met Arthur meeliep.

'Wat is er?' vroeg ik toen we een eindje verderop waren gelopen.

'Zijn jij en Lily nu samen?' vroeg hij kortaf.

'Wat heb jij?' vroeg ik naar aanleiding van de toon in zijn stem.

'Heb je al gekeken hoe het met Jenniffer gaat?' Arthur keek me aan.

'Nee,' antwoordde ik beduusd.

Waarom zou ik? Ik was die bal tegen mijn hoofd nog niet vergeten.

'Ze wil niets meer met je te maken hebben, Carter.'

Ik lachte spottend. Dus nu was het mijn schuld dat Lily haar had aangevlogen.

'En aangezien Ashley haar beste vriendin is, zij ook niet en ik ben Ashley's vriend... zie je waar ik heen ga?' vroeg Arthur.

'Wat probeer je te zeggen, Arthur? Laat je me vallen voor een meisje?' vroeg ik dreigend.

'Nee, nee, nee,' zei Arthur haastig, 'ik zeg alleen maar dat het dingen nogal gecompliceerd maakt.'

'Dump Ashley, dan zijn we van het hele probleem af,' stelde ik voor.

Arthur staarde me aan.

'De Lily's liggen hier niet voor het oprapen, Carter. Niet iedereen heeft zoveel geluk als jij,' zei hij geprikkeld.

Geluk? Wat dacht je van jarenlange ervaring en goed plannen? Daarbij waren Lily en ik nog niet eens officieel samen.

'Dus dit gaat om Lily?' vroeg ik wantrouwig.

'N-nee,' stotterde Arthur, geschrokken van mijn plotselinge directheid.

Opeens besefte ik het. Dit gesprek ging niet over onze vriendschap die zich op glad ijs bevond, maar om Arthur's gevoelens. Zijn gevoelens voor Lily. Hoe was dat mogelijk? Had hij ooit een woord met haar gewisseld? Hoe kon het zijn dat zijn affectie voor Lily al in zo'n ver stadium was dat het ter sprake werd gesteld omwille van onze vriendschap? Ik besloot me van de domme te houden.

'Oké,' antwoordde ik, 'ik moet nu gaan, want ik heb Lily beloofd haar te helpen met haar huiswerk. Ik zie je straks.'

'En ehh... geen filmavondje vanavond, neem ik aan?'

Ik grijnsde een beetje.

'Nee, dat denk ik niet,' grijnsde Arthur half terug.

Ik stak mijn duim op en liep weg, op zoek naar Lily. Ik vond haar onder de grote eik, met haar boeken uitgespreid op het gras.

'Er zijn ook tafels,' zei ik, terwijl ik naar haar toeliep.

Ze keek op.

'Weet ik,' antwoordde ze en keek weer terug in haar boek.

'Wat lees je?' vroeg ik.

Ik zakte naast haar neer.

'Sonnet achttien,' antwoordde ze.

'O ja!' zei ik.

Sonnet wat? Had de gozer meer dan alleen Romeo en Julia geschreven? Ze tilde haar boek op.

'De opdracht is om de betekenis van het sonnet te achterhalen, maar ik snap niet hoe,' zei ze.

'Lees eens iets voor,' gebood ik.

Ze tuurde in haar boek.

'Jouw schoonheid is een bloem die eeuwig bloeit,' las ze met enige moeite voor.

Ze keek me afwachtend aan, alsof ze een uitleg verwachtte.

'De betekenis daarvan?' vroeg ik nerveus.

Ik nam het boek van haar over en keek erin.

'Onder andere,' antwoordde ze.

Ik dacht na.

'Het gaat over een schoonheid die nooit vergaat, dat zou zowel innerlijk als uiterlijk kunnen zijn.'

Ze keek me weer aan met die vage blik.

'Je snapt het niet?' nam ik aan.

Ze schudde haar hoofd.

'Wat is innerlijk?' vroeg ze.

Ik begon steeds meer te wennen aan haar vreemde vragen. Ik verwachtte ze bijna.

Hoe ging ik dit nou weer uitleggen?

'Innerlijk is wie je van binnen bent, hoe je doet, hoe je omgaat met anderen, hoe je reageert op dingen. Als je zachtaardig bent, zeggen ze wel eens dat je mooi bent van binnen.'

Ze keek me bedenkelijk aan.

'Dan moet jij er echt niet uit zien,' antwoordde ze toonloos.

'Oké, laten we naar het uiterlijk gaan,' zei ik snel.

'Wat betekent de zin nou?' vroeg ze ongeduldig.

'Neem jou,' zei ik, 'je bent mooi en in dit geval zou hij ermee kunnen bedoelen, dat wat er ook met je gebeurt, hoe oud je ook wordt, je zal altijd een bloem blijven die eeuwig bloeit en die dus nooit zijn schoonheid verliest.'

Trots op mijn uitleg keek ik haar aan. Haar ogen waren vernauwd en ze leek heel diep in gedachten verzonken.

'Maar ik ben geen bloem,' antwoordde ze mededelend.

Ik sloeg mezelf voor mijn voorhoofd en kreunde.

Poging drie. Ik keek de schooltuin rond en mijn blik viel op de rozenstruiken. Ik plukte de mooiste rode roos die ik kon vinden en hield hem voor haar neus.

'Luister, er wordt geen letterlijke bloem bedoeld, het is een vergelijking. Jij bent *als* deze bloem, niet jij bent de bloem. Kijk er eens naar.' Ik draaide de bloem rond voor haar gezicht.

'Deze roos is nu op zijn mooist, maar op een dag zal hij verwelken en vergaan, maar Shakespeare bedoelt dus dat het niet uitmaakt hoeveel tijd er voorbij gaat. Je zal altijd op je mooist blijven zoals deze bloem nu is.' Ik keek haar aan, biddend dat mijn verhaal dit keer niet voor niets was geweest. Lily gunde me echter geen blik waardig, maar staarde naar de roos in mijn hand.

'Hij is prachtig,' zei ze ontzagvol.

Ik zuchtte.

'Je hebt geen woord gehoord van wat ik zei, hè?' vroeg ik.

Ze keek op.

'Wat?' vroeg ze.

Ik rolde met mijn ogen.

'Wat is het?' vroeg ze.

'Een roos,' antwoordde ik beduusd.

'Ik heb nog nooit zo'n mooie bloem gezien,' zei ze.

'Hebben ze waar jij vandaan komt geen rozen? Serieus, wat is dat voor een plek waar je vandaan...'

De bel ging en Lily ging meteen staan. Ik zou weer geen antwoord krijgen.

'Rustig!' Ik liep haar achterna en propte haar boek in haar tas.

'Wie was Shakespeare eigenlijk?' vroeg ze, terwijl we naar onze volgende les liepen.

'Iemand die te veel vrije tijd had,' antwoordde ik droog.

Ze keek me vreemd aan.

'Ik snap het nog steeds niet, weet je,' zei ze.

Ik betwijfelde of ze het ooit zou snappen, zelfs als Shakespeare het haar in levende lijve zou uitleggen.

'Ik leg het je nog wel een keer uit,' beloofde ik haar, terwijl ik haar het lokaal in volgde. Wiskunde, het enige lesuur dat ik niet met Arthur had.

Tot mijn verbazing was Jenniffer er. Arthur had gelijk, haar gezicht zag er inderdaad afschuwelijk uit. Haar wang was bedekt met rode strepen. Zodra ze zag dat Lily en ik binnenkwamen, wierp ze een dodelijk blik op Lily en ze was duidelijk van plan om nog een woordenwisseling met haar te houden. Ik zag hoe Lily alweer doodsbenauwd werd voor een herhaling van gym en niet goed wist wat ze met Jenniffer's houding aan moest. Voordat Jenniffer haar mond kon openen, stapte ik zonder aarzelen tussen haar en Lily in, zodat hun oogcontact verbroken werd. Ik legde beschermend mijn hand op Lily's rug, voorzichtig, om te zien of ze dat toeliet. Dat deed ze. Zo liep ik met haar naar de andere kant van het klaslokaal en ging met haar vooraan zitten. Ze legde haar tas op haar tafel en keek me aan. Haar mondhoeken schoten omhoog en ze glimlachte. Een echte glimlach. Hij raakte zelfs haar ogen. Vanaf dat moment wist ik dat we vrienden waren.

6. Puur

Het was belachelijk hoe snel alles ging vanaf die dag. Het was alsof sindsdien Lily en ik altijd al een begrip waren geweest. Het was alsof Jenniffer nooit had bestaan en dat beviel haar natuurlijk van geen kanten. Voor het oog van de buitenwereld waren Lily en ik nu inderdaad een stel. Ik wist wel beter en Lily zelf leek niets in de gaten te hebben van de jaloerse blikken die ze toegeworpen kreeg.

'Waar gaan we heen?' vroeg ze toen we in de pauze naar de buitentafels liepen.

Ik wees naar Arthur en de rest van de jongens.

'Naar mijn vrienden,' antwoordde ik.

'Waarom?' vroeg ze zenuwachtig.

'Omdat het mijn vrienden zijn,' zei ik onthutst.

'Afgezien van jij en Arthur zijn er nog niet veel mensen aardig tegen mij geweest,' legde ze uit.

Ik draaide me met een ruk om en staarde haar aan.

'Wat zei je?' vroeg ik scherp.

In tegenstelling tot andere mensen deinsde Lily niet terug als ik zo'n toon aansloeg.

'Ik zei, dat nog niet zo heel veel mensen aardig voor me zijn geweest,' herhaalde ze.

Ik wuifde haar woorden weg.

'Ik bedoel dat over Arthur, wanneer heb jij met Arthur gepraat?' vroeg ik in lichte paniek.

'Nadat wij ruzie hadden gehad bij het kantoortje van meneer Andrews. Toen jij was weggestormd, kwam ik Arthur tegen,' zei ze.

'Waar hebben jullie het over gehad?' siste ik.

'Hij vroeg of het wel goed met me ging. Een beetje zoals jij in het begin, maar hij was niet opdringerig en scheen het te menen,' vertelde ze.

Blijkbaar had ze geen idee van de beledigingen die ze me zojuist maakte.

'Toen hebben we even gepraat, hij is erg aardig,' sloot ze af.

Zo gemakkelijk kwam ze er niet vanaf.

'Waar hebben jullie over gepraat? Ik wil elk detail,' eiste ik.

Dus Arthur dacht dat hij Lily van me af kon pakken. Het moest een goed gesprek zijn geweest en ze had kennelijk niet te veel rare opmerkingen kunnen plaatsen, aangezien Arthur helemaal hoteldebotel van haar leek te zijn. Ze keek me hoogmoedig aan.

'Gaat je niks aan, Carter Johnson,' snauwde ze.

Ik keek geïrriteerd de andere kant op. Ook al waren we nu vrienden, het bekvechten was niet over.

'Dus je ziet hem wel zitten?' vroeg ik, de jaloersheid droop ervanaf en ik deed niet eens een poging het te verbergen.

'Zitten?' vroeg ze verbaasd. 'Ja, daar aan de tafel met de rest van je vrienden,' antwoordde ze.

'Nee, ik bedoel of je hem leuk vindt. Vlinders in je buik, op een roze wolk, dat bedoel ik,' legde ik ongeduldig uit.

Ze staarde me aan.

'Vlinders in mijn buik? Hebben mensen vlinders in hun buik? Hoe dan? Slikken ze die gewoon door?' vroeg ze walgend. 'En welke roze wolk?' voegde ze er omhoogkijkend aan toe.

'Het zijn uitdrukkingen, Lily,' zuchtte ik.

Ik gaf het op. Misschien kwam ze van een andere planeet. Ze sprak soms over mensen alsof ze er zelf geen was. Ze keek me weer aan.

'Dat vind ik dus zo belachelijk, uitdrukkingen. Waarom zeggen mensen niet gewoon wat ze bedoelen in plaats van er de hele tijd omheen te draaien?' vroeg ze verwijtend.

Ik keek onschuldig.

'Ja, ik bedoel jou onder andere!' zei ze.

'Ik draai nergens omheen! Jij snapt mij gewoon niet!' riep ik verontwaardigd uit.

Ze opende haar mond om weerwoord te geven.

'Hou maar op,' zei ik, voor ze iets kon zeggen.

'Kom, we gaan bij hen zitten. Kun je weer gezellig met Arthur praten,' snauwde ik en trok haar mee.

'Ik wil helemaal niet gezellig met Arthur praten!' protesteerde ze.

Ik wist dat ik mijn eigen dood ondertekende als ik Lily in zo'n humeur naar de rest meenam, maar jaloezie ontnam me op dat moment de mogelijkheid om helder te denken.

'Hey C,' riep iedereen vrolijk toen we aan kwamen lopen.

Ik voelde Lily's ogen prikken. De jongens grinnikten.

'Hoi Lily,' voegde iedereen eraan toe.

Lily reageerde niet. Ik plofte naast Arthur neer.

'Hoi C,' mompelde deze afwezig.

Ik bromde wat, maar hij merkte het niet. Lily was niet gaan zitten, aangezien er geen plek meer was. Ze stond wat ongemakkelijk voor ons en de zon scheen op haar roodbruine haar, waardoor er een nog warmere gloed overheen kwam en ik wist waarom iedereen opeens zo stil was. Ze was weer eens een beeldschone vertoning. Ik staarde naar haar en tot mijn grote afschuw voelde ik iets in mijn buik kriebelen. Ze keek me een moment aan en ik wist niet of ik nou wel of geen adem haalde. Het moest er ontzettend belachelijk uitzien. Twaalf jongens op een tafel en een bankje, doodstil starend naar een enkel meisje vlak voor hen. Toen ik dat door had, wist ik aan haar betovering te ontkomen. Toch kon ik het verlangen niet onderdrukken om haar aan te raken, haar vast te houden. Ik besefte dat ik die mogelijkheid had, aangezien er geen ruimte meer was voor haar om te zitten. Ik klopte uitnodigend op mijn schoot en keek haar aan. Ze sperde haar ogen wijd open.

'Ben je wel goed in je hoofd?' vroeg ze ongelovig.

Ik kreunde onhoorbaar. De betovering werd verbroken en ieders hoofd schoot mijn richting op.

'Ze is een beetje verlegen,' legde ik fluisterend uit.

'Je mag natuurlijk ook blijven staan,' antwoordde ik haar, terwijl ik haar waarschuwend aankeek.

Ik wist dat ze door twijfel werd verscheurd. Door twaalf jonge mannen kwijlend aangestaard worden, was duidelijk niet haar favoriete bezigheid, maar op zo'n manier zo dicht bij mij in de buurt zijn... zelfs zij moest weten dat dit meer inhield dan hoe we nu met elkaar omgingen. Ze zette twijfelend een stap in mijn richting. Er was hoop, alleen mijn beste vriend boorde die hoop hardhandig de grond in.

'Hier, ga hier maar zitten,' zei Arthur.

Hij stond op en bood haar zijn plaats aan. Lily keek hem dankbaar aan en gaf hem zelfs een zeldzame glimlach. Het was aandoenlijk om te zien en tegelijkertijd ook zo irritant!

Ze ging naast me zitten, maar negeerde me volledig. De gesprekken van die pauze gingen langs me heen. Ik kon alleen maar woedend naar Arthur staren, iets wat hij niet besefte aangezien hij alleen maar oog had voor Lily en Lily...

Lily was furieus en toch ook beschaamd op een of andere manier. Ik kon het opmaken aan hoe ze haar hoofd en schouders kaarsrecht hield, maar haar ogen terneergeslagen. Dezelfde houding als de allereerste keer dat ik haar zag. Toen de bel ging, stond ze zonder iets te zeggen op en liep weg.

'Ik zie jullie wel in de les,' mompelde ik, en terwijl ik achter Lily aansnelde, beukte ik in het voorbijgaan subtiel met mijn schouder tegen die van Arthur aan. Expres, op een manier zodat hij wist dat hij en ik een probleem hadden, maar ook zo, dat niemand anders het merkte. Ik voelde zijn ogen in mijn rug prikken terwijl ik wegliep. Ik greep Lily's arm.

'Wat was dat nou?' vroeg ik zwaar geïrriteerd.

Ze rukte zich los en keek me woedend aan, maar er was nog een andere emotie. Ik kon het alleen niet thuisbrengen.

'Wat dat was?' siste ze. 'Dat wilde ik ook net aan jou vragen,' zei ze toen ik geen antwoord gaf.

'Wat bedoel je nou weer?'

'Wat ik bedoel is...' Ze schreeuwde de vier woorden, sloot haar mond en keek een moment weg alsof ze zich in probeerde te houden.

'Wat ik bedoel is dat ik me afvraag waarom jij me voor zo'n keuze zet,' ging ze verder op een minder harde toon, maar daardoor niet minder woedend.

'Hoe kon je me zo...' Ze keek weer weg.

Opeens wist ik wat de tweede emotie was: vernederd. Ik werd tot mijn voeten doordrenkt met schuldgevoel toen ik haar zo zag staan.

'Ik dacht eerlijk waar dat je over het stadium heen was dat je me wilde gebruiken, maar ik had het blijkbaar mis en dan vraag jij je af waarom ik Arthur aardig vind? In tegenstelling tot jou denkt hij niet alleen maar aan zichzelf!'

Ik staarde haar aan. Ik kon zelfs niet kwaad worden over die steek onder water over Arthur. Ik had haar pijn gedaan en ik kon het niet verdragen. Ze keek me aan en veegde haar drifttranen weg.

'Mens!' zei ze mismoedig en draaide me de rug toe.

'Lily, wacht!' Ik rende achter haar aan.

Ontzettende stomkop dat je er bent! Dat ze meeging naar je vrienden was al heel wat, waarom moest je haar nou ook zo onder druk zetten? Een ander stemmetje wilde haar schoonheid de schuld geven, maar ik duwde het weg. Hiervoor zou ik zelf verantwoordelijkheid nemen. Ik greep haar weer vast.

'Lily, het spijt me... Ik wilde niet... Ik bedoelde het niet...' Ik keek haar aan of ik ergens in haar ogen een sprankje vergeving kon vinden, maar haar tranen vertroebelden het.

'Alsjeblieft niet huilen. Het spijt me echt heel erg.' Ik veegde haar tranen weg.

'Luister, ik beloof je bij deze: ik zal je nooit of te nimmer gebruiken, nooit.'
'En we hoeven niet meer bij de rest te zitten als jij dat niet wilt,' zei ik om de belofte kracht bij te zetten.

Ze leek wat in de war, maar ze knikte en ik wist dat ze het me vergeven had. Desondanks voelde ik me nog steeds schuldig, zo erg dat ik er buikpijn van had.

'O, het spijt me echt,' zei ik weer en omhelsde haar stevig.

Ik weet niet wie van ons als eerst versteende. Zij versteende ongetwijfeld, omdat ik haar, voor haar doen waarschijnlijk, erg intiem vasthield. Ik versteende vanwege haar geur, de aanraking en het feit dat ik haar gewoon zo impulsief had omarmd, maar ik kon het niet opbrengen haar los te laten. Ik kon het gewoon niet! Ik verborg mijn gezicht in haar haar en rook eraan. Het sloeg op me in als een ijzeren vuist en ik waande me bijna ergens anders, en wel op de mooiste plek op aarde, waar de heerlijkste bloemen groeiden en die zouden allemaal zo moeten ruiken. Ik voelde haar lichaam tegen me aan en ik vroeg me af waarom dit zoveel meer impact op me had dan de andere duizenden knuffels die ik aan meisjes had uitgedeeld.

Ik had geen idee hoeveel tijd er voorbij was gegaan, het hadden voor mijn part twee dagen kunnen zijn. Ik liet haar ietwat geschokt los, omdat ik me zo had laten meeslepen. Lily's ogen waren wijd opengesperd. Niet in woede, maar verward. Ze keek wat ongemakkelijk rond. De hele school had van ons moment kunnen meegenieten. Ik kreunde een beetje en ik hoopte dat Lily niet weer zou denken dat ik haar gebruikt had.

Tot mijn verbazing wenste ik dat niemand dit gezien had, terwijl dit juist zo goed voor mijn reputatie zou zijn. Ik had liever gehad dat dit intieme moment voor ons alleen was gebleven. Zij leek opeens veel belangrijker.

'Kom, we moeten nu echt naar de les,' zei ik.

'Ik heb mijn boeken nog niet.' Haar stem klonk mild.

'Dan gaan we die eerst halen,' zei ik behulpzaam.

Terwijl we naar haar kluisje liepen – dat blijkbaar weer gemaakt was – kon ik mijn ogen niet van haar afhouden. Lily had een nieuwe sleutel en de afgebroken helft was uit het slot gehaald. Waarschijnlijk dankzij meneer Andrews. Mijn maag stond ondersteboven en ik moest minstens drie keer in de vijf seconden slikken om te voorkomen dat mijn keel droog werd. De stempel 'vreemd' die ik de eerste schooldag op haar had gedrukt, veegde ik in gedachten uit en er kwam een nieuwe voor in de plaats: 'puur'.

7. Poppenkast

Op weg naar haar kluisje liepen we dicht naast elkaar, maar we raakten elkaar niet aan. Ik weet zeker dat we daar allebei op letten.

'Wat hebben we?' Ze klonk onnatuurlijk, alsof ze niet wist waar ze het over moest hebben.

Lily wist altijd precies wat we hadden.

'Nog een uur wiskunde,' antwoordde ik terwijl ze met beleid haar kluisje opende.

'Hoi Carter,' klonk het naast ons.

Ik keek op.

'Hoi Norah,' antwoordde ik Casey's vriendin.

Ze keek op haar horloge.

'We zijn een beetje laat, hè,' merkte ze op.

Ik knikte instemmend.

'Maar we kunnen het nog redden,' zei ik vriendelijk.

Norah was altijd aardig. Heel anders dan haar vriendin. Ze was bescheiden en onopvallend. Ze knikte.

'Ik kwam er halverwege achter dat ik mijn boeken niet bij me had,' legde ze uit.

'Lily had hetzelfde probleem,' glimlachte ik.

'O, hoi Lily, ik had je nog niet gezien,' glimlachte Norah zachtmoedig.

'Ik geloof niet dat we elkaar al ontmoet hebben. Ik ben Norah Abigail.' Ze stak haar hand uit.

Meteen, als een soort voorgeprogrammeerde reactie, schoot Lily's hand naar voren en schudde die van Norah.

'Lily Jones,' antwoordde ze alsof ze een bandje afspeelde.

Zo had ik Lily's stem al een lange tijd niet meer gehoord. Norah glimlachte echter vriendelijk en wendde zich weer tot mij, terwijl ze met haar hand naar haar boeken zocht.

'Hoe ging je natuurkundeproject?' vroeg ze.

'Redelijk,' antwoordde ik.

Ze keek me aan.

'Dat klinkt niet erg enthousiast,' stelde ze vast.

Ik haalde mijn schouders op.

'De dag dat ik enthousiast ben over een schoolproject moet nog komen,' zei ik met een scheve grijns.

'Dat is erg triest,' antwoordde Norah glimlachend.

'Ach ja, ik ben niet zo van de cijfers,' zei ik.

'Dat weet ik. Meer van de...' Ze slikte het laatste woord in.

'Van de wat?' vroeg ik.

Ze wuifde met haar hand als teken dat het niet belangrijk was en keek in haar kluisje.

'Van wat?' herhaalde ik.

Ze haalde haar schouders op.

'Populariteit,' zei ze.

'Is dat een slecht iets?' vroeg ik.

'Nee,' antwoordde ze, terwijl ze een wiskundeboek uit haar kluis haalde en in haar tas propte.

'Maar?'

Ze keek me aan en glimlachte.

'Ik denk dat jij die zin heel goed zelf af kan maken,' antwoordde ze.

'Kan ik niet,' zei ik.

'Dan komt er vast een dag dat je dat wel kan.' Ze glimlachte, maar toen betrok haar gezicht.

'Lily, gaat het wel?' vroeg ze.

Ik draaide me met een ruk om.

'Oh,' bracht ik uit en deed een stap naar achter.

Norah keek geschokt en het was niet voor niets. Lily was... angstaanjagend. Onmenselijk bijna. Haar ogen staarden in de verte, alsof haar geest niet hier was. Haar lichaam was tot op elke spier gespannen en haar uitdrukking was beangstigend. Opeens greep ze naar haar hoofd, gilde en begon te trillen over haar hele lichaam.

'Lily!' riep Norah geschokt en stapte naar haar toe.

'Norah niet doen!' Al mijn instincten vertelden me nu vooral niet in de buurt van Lily te komen.

Lily keek op naar Norah, haar groene ogen dreigend, bloeddorstig bijna. Haar lichaam trilde nog steeds.

'Norah, kijk haar niet aan en kom niet dichterbij!' riep ik uit.

Het had Lily compleet gek gemaakt toen Jenniffer dat deed, dat en nog iets: schreeuwen. Ik sloeg mezelf voor mijn stomme kop. Lily keek verwilderd. Ik wist wat er komen ging. Ik duwde Norah opzij en greep Lily's pols van de arm waarmee ze naar Norah wilde uithalen. Lily brulde en haalde met haar andere hand uit naar mij. Ik voelde de tranen in mijn ogen prikken toen haar nagels mijn nek striemden.

'Lily!' schreeuwde ik.

Niet schreeuwen, idioot!

'Lily!' Ik had haar vast om haar middel, terwijl ze met haar armen en benen rondspartelde als een bezetene. Man, wat was ze sterk.

'Lily,' herhaalde ik weer, zachtjes, fluisterend.

Haar bewegingen verslapten en ze zakte op de grond. Ik ging voor haar zitten en hield haar vast bij haar schouders.

'Lily, hoor je me?' vroeg ik met een trillende stem.

Norah kwam geluidloos naast me zitten. Lily's hoofd lag als bij een lappenpop op haar borst.

'Moet ik een dokter bellen?' vroeg Norah bezorgd.

Ja... ja, iemand moest een dokter bellen. Waarom zei ik dat dan niet tegen Norah?

'Lily?' Ik schudde haar schouders voorzichtig.

Haar hoofd draaide in haar nek, terwijl ze langzaam haar ogen opende. Ze knipperde en keek rond. Haar ademhaling was zwaar.

'Waar ben ik?' vroeg ze schor.

Ze leek verbaasd over het feit hoe die woorden uit haar mond kwamen.

'Waar ben ik?' vroeg ze weer. Ze keek paniekerig rond.

'Lily, rustig. Je bent op school,' antwoordde ik bezorgd.

'Wie ben jij?' krijste ze.

'Laat me los!'

'Lily, rustig,' probeerde Norah nu ook.

'Lily, nee!' riep ik voorzichtig toen ik zag hoe ze weer wilde uithalen.

Ik greep haar weer vast.

'Rustig, ik ben het.' Ik probeerde iets van herkenning te vinden in haar ogen, maar ze kneep ze stijf dicht en schudde haar hoofd als een koppig kind. Ze drukte haar handen tegen haar oren alsof ze stemmen hoorde die niet van ons waren.

'Nee! Nee! Mama! Doe haar geen pijn, doe haar alsjeblieft geen pijn!'

Norah en ik staarden ontzet naar deze afschuwelijke vertoning. Het maakte je zo naar, dat je je hart ervan uit je borst wilde rukken.

'Lily, niemand doet hier iemand pijn.'

Ik hield haar gezicht stevig vast.

'Lily, kijk me aan. Kijk me aan!'

'Op een dag zal ik jullie laten boeten voor wat jullie hebben gedaan,' siste ze, haar ogen nog steeds gesloten en compleet in een andere wereld.

Opeens was Lily drijfnat en ik gedeeltelijk ook. Ik keek op naar Norah die haar fles water over Lily had gekieperd. Lily's ogen schoten wijd open, ze rilde even en toen ontspande ze en keek verward om zich heen.

'Carter?' vroeg ze fluisterend.

'Godzijdank!' riep ik en drukte haar tegen me aan.

'Carter,' riep ze huilend uit, 'laat me nooit alleen, laat me alsjeblieft nooit alleen!'

Ik hield haar vast. Verward.

'Stil maar, ik ga helemaal nergens heen.'

'We moeten echt een dokter bellen,' herhaalde Norah.

Ik knikte.

'Nee!' riep Lily. 'Het gaat best.'

'Heb je vaker last van dit soort aanvallen?' vroeg Norah bezorgd. 'We moeten toch op zijn minst je ouders bellen,' voegde ze eraan toe.

'Nee!' riep Lily weer.

'Lily, wees redelijk.' Ik hielp haar overeind.

'Je moet naar huis. Wij bellen wel voor je en…'

'Ik ga niet naar huis!' brulde ze en wilde het op een lopen zetten, maar ik was haar voor.

'Oké, oké, al goed,' zei ik sussend, terwijl ik haar weer vastgreep.

Ze begroef haar gezicht in mijn borst en huilde. Ik streelde haar rug en keek Norah verontschuldigend aan.

'Norah, zou jij aan meneer Andrews willen uitleggen waarom we dit uur afwezig zijn? Ik denk dat het wat geloofwaardiger overkomt wanneer jij dat doet en niet ik. Ik denk dat ik bij Lily moet blijven,' legde ik uit.

Norah knikte, duidelijk overstuur van het hele gebeuren, maar tegelijkertijd kalm. Ze draaide zich om en liep weg.

'En Norah?'

Ze keek vragend om.

'Zou je alsjeblieft niets tegen de anderen willen zeggen?'

Ze knikte weer.

'Bedankt,' zei ik.

Ze keek even naar Lily en liep weg.

Ik keek omlaag en vroeg: 'Wil je naar buiten?'

Lily knikte tegen mijn borst aan. Ik nam haar mee en hield haar goed vast tijdens het lopen. Buiten ploften we uitgeput op het eerste het beste bankje neer. Ik wist dat vragen over wat er zojuist gebeurd was geen zin had. Net zo min als opdringen om naar huis te gaan. Dus ik hield haar maar simpelweg vast. Haar hoofd lag op mijn schouder en ik schommelde haar wat heen en weer. Haar ademhaling werd geleidelijk rustiger.

'Je bent echt een poppenkast, weet je dat?' zei ik bloedserieus.

'Wat is een poppenkast?' vroeg ze nog steeds met haar hoofd op mijn schouder en met haar ogen gesloten.

'Een kast... poppen... idiote mensen die niets beters te doen hebben,' wuifde ik haar vraag weg.

Lily ademde diep in.

'Beter?' vroeg ik.

Ze knikte.

'Ga je nog uitleggen wat dat was?' probeerde ik voorzichtig.

'Ik weet het zelf niet precies,' antwoordde ze.

'Ik dacht gewoon heel even... dat ik ergens anders was.'

Dat was te merken geweest.

'Lily?' vroeg ik zorgvuldig.

Ze keek me aan.

'Wat is er met je moeder gebeurd? Tijdens je... aanval had je het over haar.'

Ze trok wit weg.

'Heb je nog een moeder?' vroeg ik behoedzaam.

Ze knikte onwillig en met haar grote, groene ogen keek ze me aan alsof ze me iets probeerde te vertellen, maar ik kon er niet veel wijs uit worden. Toen hapte ze geschokt naar adem.

'Je nek!' riep ze uit.

'Wat? O, dat...' Ik voelde aan mijn nek.

Het bloed was al opgedroogd.

'Het is niets,' zei ik.

'Heb ik dat gedaan?' vroeg ze.

'Nee... ja, maar echt ik voel het niet eens.'

Hoe kon ik ook, terwijl ik haar zo dicht tegen me aan had?

'Het spijt me,' zei ze kleintjes.

'Welnee, er is niets aan de hand, gewoon een schrammetje.'

Ik sprong op als bewijs en draaide een rondje.

'Zie je wel. Ik leef nog.'

Ik ging weer naast haar zitten. Ze legde haar hoofd weer op mijn schouder en gaapte.

'Poppenkast,' mompelde ze.

Ze sloot haar ogen.

'Je bent zelf een poppenkast.'

8. Broederliefde

Ik ontsmette die avond in de badkamer de wonden van Lily in mijn nek. Het prikte hevig, gelukkig kwam Tyler me afleiden.
'Wow, wie heeft dat gedaan?' vroeg hij geschokt.
'Gebruiken jongens tegenwoordig tijdens het vechten nu ook al hun nagels?' vroeg hij ongelovig.
Ik grinnikte.
'Of was Jenniffer nog niet helemaal klaar met je?'
Ik haalde mijn schouders op, vastbesloten om geen antwoord te geven op zijn vraag.
'Zijn jij en die Lily nu een stel?'
'Voor iemand zo klein als jij ben je wel erg nieuwsgierig,' antwoordde ik.
'Nou?' Tyler gaf het niet zo gemakkelijk op.
'Ik weet het niet,' antwoordde ik eerlijk.
Lily en ik waren dichter naar elkaar toe gegroeid, dat was zeker, maar ik vroeg me af of het mogelijk was om een relatie te hebben met iemand zoals zij. Dat er iets mis met haar was, was duidelijk, maar ik vroeg me af of ik er ooit achter zou komen wat dat zou zijn.
'Hoe kun je dat nou niet weten?' vroeg Tyler, zoals alleen een klein broertje dat kan.
'Het is gecompliceerd,' zei ik.
'Bij jou is nooit iets gecompliceerd,' antwoordde Tyler waarheidsgetrouw.
'Het is of ja of nee. Zwart of wit. Of je wilt ergens heen met een relatie of niet,' zei hij.
'Ik weet niet waar het heen gaat met Lily,' zei ik, terwijl ik de strepen in mijn nek depte met ontsmettingmiddel.
Tyler trok zijn wenkbrauwen op.
'En dat lukt je? Geen ontwenningsverschijnselen, geen trillende handen? Overgeven, diaree misschien?'
'Ty!' riep ik walgend.
'Alsof ik alleen maar met mensen om kan gaan die ik kan gebruiken,' voegde ik eraan toe.
Tyler keek me sarcastisch aan.
'Niet, niet dus! Ik hoef er niet altijd zelf beter van te worden, Lily is anders, ze is... Ach, ga toch weg.' Ik gooide het doekje naar zijn hoofd.

Hij lachte.

'Hoor ik dit nou goed? Is de C-man verliefd?' vroeg hij plagend.

'Tyler, je hebt drie seconden om te vertrekken voordat ik je kop in de plee duw!' dreigde ik.

'Kijk uit, straks maak je me nog bang,' zei hij kalm en ging op de badrand zitten.

'Wat is het dat ze heeft dat je al je oude gewoontes laat vallen? Haar schoonheid?'

Tyler knipperde hevig met zijn wimpers.

Rustig, Carter.

'Hoe ze praat?' vroeg hij terwijl hij haar accent nadeed.

Zucht.

'Hoe ze loopt?' hij sprong op en zwierde door de badkamer.

'Nee, eerder de manier waarop ze rent,' zei ik en vloog dreigend op hem af.

Tyler zette het op een lopen. Ik stoof achter hem aan de badkamer uit.

'Ik krijg je wel, kleine, miezerige...'

'Ik ben Lily! Carter, krijg ik een kusje?' Tyler danste al rennend de trap af.

'Reken maar!' Ik maakte smakgeluiden en rende achter hem aan.

'Jongens!' De kantoordeur, die we zojuist gepasseerd waren, ging open.

'Kan het wat zachter? Ik probeer hier te werken.'

'Waarom doe je dat dan niet op je werk?' vroeg ik brutaal.

'Omdat ik op deze manier thuis kan zijn én kan werken,' antwoordde mijn vader.

Ik opende mijn mond om weerwoord te geven, maar Tyler keek me waarschuwend aan.

'We zullen wat zachter zijn, pap,' antwoordde hij.

Mijn vader bromde en sloot de deur weer.

'We zullen wel wat zachter zijn, pap,' herhaalde ik Tyler's stem een octaaf te hoog.

'Ach, hou je mond.'

Ik gaf hem grijnzend een stomp.

'Wat zou jij willen, Tyler?' vroeg ik.

'Hoe bedoel je: wat zou ik willen?'

'Als je niet constant de moeder uit zou hangen of aan het leren bent, wat zou je willen doen?'

Tyler rolde met zijn ogen en dacht toen na. Ik zag op zijn gezicht dat hij het antwoord wist, maar het niet uitsprak.

'Kom op, wat is het?' drong ik aan.

Tyler schudde zijn hoofd.

'Gaat je niks aan,' zei hij verdedigend.

'Toe Ty, vertel het me.' Ik zette grote puppyogen op en trok een pruillip.

'Niet doen, je lijkt wel een meisje zo,' antwoordde Tyler.

'Kom op, Ty, zeg het. Ik zal niet lachen. Erewoord!'

Tyler zuchtte.

'Ik zou wel willen schilderen.'

'Schilderen?' vroeg ik.

'Ja.'

'Oh.'

'Ik weet dat je je lach inhoudt, Carter!'

'Nee, echt niet, het is hoogstinteressant, maar verweet jij mij nou net dat ik net een meisje was?' proestte ik.

'Dat ben je ook. Je giechelt, roddelt en bent net zo ijdel als en vrouw,' kaatste hij terug.

'Ken je dat gezegde?'

'Welk gezegde?' vroeg Tyler achterdochtig.

'Broertjes plagen...' Ik maakte weer smakgeluiden.

'Nee!' brulde Tyler en hij ging er weer vandoor.

Na een half uur in de woonkamer geravot te hebben, was het duidelijk dat ik nog steeds de sterkste was.

'Geen zorgen, Tyler, er komt een dag dat je misschien een keer niet op de grond wordt gesmeten,' zei ik, terwijl we allebei op de bank uithijgden.

Hij gooide als protest een kussen tegen mijn hoofd.

'Neem je haar een keer mee?' vroeg Tyler.

'Wie?'

'Wie? Lily natuurlijk!'

'Mee naar huis?'

'Ja, gewoon, mee naar huis!'

'Ik weet niet,' zei ik vertwijfeld. 'Ze is nogal... mensenschuw.'

'Als ze jou aardig vindt, vindt ze mij zeker aardig,' zei Tyler grijnzend.

'Je kan haar een keer meenemen als pap er niet is. Als dat is waar je mee zit...' voegde hij eraan toe.

Nee, dat was niet waar ik mee zat. Op een of andere manier kon ik me Lily niet buiten school voorstellen.

'Ik kan het haar vragen,' zei ik om Tyler tevreden te stellen. 'Maar als je haar afpikt, dan spoel ik niet alleen je hoofd door de plee,' zei ik dreigend.

'O, dus nu zijn jullie wel een stel?' vroeg Tyler ad rem.

'Nee, maar...'

Tyler begon te lachen.

'Wat jullie ook zijn, ze doet wel wat met je,' grijnsde hij.

'Tyler? Wil je leven?' vroeg ik bloedserieus.

'Graag, en een cola zou ook fijn zijn.'

'Ga het dan halen en neem er voor mij ook een mee,' antwoordde ik.

'Steen-papier-schaar,' zei hij.

Ik kreunde.

'Kom op!' zei Tyler.

'Schaar.'

'Steen.' Ik win zei Tyler vrolijk.

'Nou, dan mag jij gaan halen!' zei ik.

'Wat?' vroeg Tyler onthutst.

'Wie wint mag het halen!' grijnsde ik.

'Leuk geprobeerd, Carter.'

Ik stond met een zucht op.

'Vervelend mannetje,' zei ik terwijl ik naar de keuken liep.

Ik kwam terug met twee cola en gooide een blikje naar hem toe.

'Proost!' zei ik, terwijl ik het lipje sissend omhoogtrok.

'Op Lily!' zei Tyler.

'Op... ach, hou je mond.'

9. Een onverwachte kus

'Haar haar heeft een andere kleur!' bracht Lily verbijsterd uit toen ze Jenniffer de klas in zag lopen.

'Ja,' zei ik niet onder de indruk van Jenniffer's nieuwe roodbruine lokken. Ik besefte meteen dat het een slechte Lily-imitatie was.

'Haar haar heeft een andere kleur, maar haar gezicht is hetzelfde!' Lily's ogen stonden groot en verbaasd.

'Ja,' zei ik weer, 'ze heeft het geverfd.'

'Hoe?' vroeg ze.

'Met verf,' antwoordde ik.

'Dezelfde verf die we op papier gebruiken?'

'Zoiets, alleen dan speciaal voor je haar,' zei ik, te ongeïnteresseerd om het uit te leggen.

'Hoe doet ze dat dan?' Lily gaf niet op.

Ik zuchtte.

'De aliens hebben haar geholpen,' zei ik sarcastisch.

'Wat zijn aliens?'

Argh. Ik liet mijn hoofd op de tafel vallen. Nu al uitgeput van de ondervragingen op de vroege ochtend.

'Vraag ik te veel?' vroeg ze onschuldig.

'Dat zou het probleem kunnen zijn,' zei ik gapend.

'Sorry, ik zal niets meer zeggen,' antwoordde ze en kneep haar lippen op elkaar.

'Fijn, dan kan ik nog even uitslapen,' zei ik.

Ik keek haar aan terwijl ik met mijn hoofd op de tafel lag. Ze wiebelde onrustig op haar stoel met haar lippen nog steeds stijf op elkaar gedrukt en keek me ongeduldig aan.

'Je wilt iets vragen, hè?'

'Waarom zou iemand zichzelf willen veranderen?' gooide ze eruit.

Ik hief mijn hoofd van de tafel. Mijn nachtrust inhalen kon ik wel vergeten. Dat ik die überhaupt had overgeslagen, was ook haar schuld, aangezien ze alsmaar door mijn hoofd bleef spoken.

'Sommige mensen zijn niet tevreden met hoe ze zijn en hoe ze eruitzien,' antwoordde ik politiek correct.

'Waarom niet?' vroeg ze.

'Omdat ze denken dat jezelf zijn niet genoeg is,' antwoordde ik, nadat ik een tijdje had nagedacht.

'Dat is belachelijk, waarom zou je dat doen? Waarom zou je jezelf vrijwillig veranderen?' Om de een of andere reden was Lily opeens hevig geïrriteerd.

'De meeste mensen zijn tevreden met zichzelf totdat ze iemand tegenkomen die beter is dan zijzelf. Mensen streven altijd naar perfectie en zelfs als ze dat gevonden hebben, zoeken ze naar meer.' Ik keek haar aan.

'Behalve jij,' voegde ik eraan toe.

'Wat? Wat bedoel je?' Ze ontmoette mijn blik.

'Jij bent soort van... perfect. Je lijkt het alleen zelf niet te beseffen. Maar toch hoor ik je nooit klagen over je gewicht, je haar, je kleding. Ook beoordeel je anderen die er minder goed uitzien dan jij nooit om jezelf daardoor beter te voelen. Het kan je geen moment schelen wat anderen van je denken en dat is een zeldzame eigenschap,' glimlachte ik.

'Waarom zou ik me zorgen maken over wat anderen van mij vinden?' vroeg ze.

'Omdat je naar perfectie streeft om geaccepteerd te worden door anderen,' zei ik.

'Waarom wil je door anderen geaccepteerd worden? Waarom nemen ze je niet zoals je bent?' Ze keek bijna nieuwsgierig.

'Mensen willen dat je iemand bent, iemand die aan hun verwachtingspatroon voldoet en wanneer je denkt dat jezelf zijn daarvoor niet voldoende is, word je iemand anders.'

Ik staarde bedenkelijk voor me uit.

'Waarom denken mensen dat jezelf zijn niet genoeg is?' vroeg ze.

'Uit onzekerheid. Mensen denken dat als ze die perfectie bereikt hebben die onzekerheid verdwijnt.' Ik slikte vanwege de waarheden die Lily naar boven haalde.

'Maar dat is niet zo,' zei ik.

'Je zal je altijd blijven afvragen of wie je bent voldoende is.'

'Jij bent voldoende voor mij,' zei ze na een korte stilte.

Ik glimlachte. Lily glimlachte terug en richtte zich weer op de les.

'Carter!' Ik keek voor de zoveelste keer verontschuldigend naar mijn vrienden en liep achter Lily aan naar de grote eik. Ik had mijn vrienden niet veel meer gezien in de pauze, nadat ik Lily had beloofd dat we niet meer bij hen hoefden te zitten.

'Wil je me Shakespeare nog even uitleggen?' vroeg Lily, terwijl ze ging zitten op het gras.

Ik knikte en ging naast haar zitten.

'Oh, ik heb mijn boeken niet bij me,' zei ze, terwijl ze in haar tas keek.

Ik keek naar haar. Misschien had Tyler gelijk en moest ik haar een keer mee naar huis nemen of in ieder geval ergens naartoe buiten school waar we wat meer privacy zouden hebben. Ik zou haar mee uit kunnen vragen, maar hoe en wanneer? Hoewel, ze had me al een paar keer afgewezen. Aan de andere kant, onze band was wel sterker geworden. Misschien moest ik het er gewoon op wagen.

'Ik ga ze even halen.' Lily liep weg voordat ik mijn denkproces had beëindigd. Ik keek haar na terwijl ze de school in liep.

'Hoi Carter.'

Wow! Ik deinsde achteruit.

'Jenniffer,' bracht ik uit.

Ze ging onbeschaamd naast me zitten.

'Carter!' riep ze dramatisch. 'Wat is er met je nek gebeurd?' Ze ging met haar vingers over de strepen in mijn nek.

'Jenniffer!' riep ik sarcastisch en twee octaven te hoog: 'Wat is er met je gezicht gebeurd?' Ik keek haar chagrijnig aan.

Haar gezicht betrok een moment, maar ze was vastbesloten haar toneelstukje voort te zetten.

'Weet je Carter,' zei ze. 'ik heb eens nagedacht en ik vergeef je.'

Ik fronste mijn wenkbrauwen.

'Wij kunnen niet zonder elkaar.'

Nee, jij kan niet zonder mij. Ze legde haar hand op mijn wang.

'Ik zie het aan je, Lily is niet wat je echt wilt. Ze spoort niet, Carter, dat heb je zelf gezegd. Ga met mij naar het bal en je zult zien dat alles weer heel snel wordt zoals het was.' Ze knipperde verleidelijk met haar wimpers.

Ik snoof minachtend en opende mijn mond om weerwoord te geven, maar ze drukte haar vinger op mijn lippen. Haar aanraking deed me lang niet zoveel als de aanwezigheid van Lily.

'Zeg maar niks,' zei ze. 'Wij hoeven niet te praten om elkaar te begrijpen.'

Toen nam ze mijn hoofd tussen haar handen en kuste me hevig.

Ik duwde haar van me af.

'Ik denk toch niet dat jij mij helemaal goed begrijpt,' zei ik.

Ik keek over Jenniffer's schouder en zag Lily ons aanstaren.

Ik wendde me tot Jenniffer.

'Luister, Jen, het is over. Ik wil nu dat je weggaat,' zei ik scherp.

Ze keek om, om te zien wat me had afgeleid. Ze richtte zich weer op mij, terwijl ze beledigd opstond.

'Ze zal je nooit kunnen geven wat ik je kan geven.'

'Dat klopt, veel meer,' antwoordde ik.

Ze keek me vuil aan en liep weg, met haar neus in de lucht. Ik keek zorgvuldig of Jenniffer Lily niet lastig zou vallen en Lily blijkbaar ook, want toen Jenniffer uit het zicht was, kwam ze langzaam naar me toegelopen. Ze smeet haar boeken voor mijn voeten en zakte naast me neer.

'Leg uit,' zei ze.

'Ik kon er niets aan doen, ze overdonderde me. Ze kwam gewoon naast me zitten en...'

'Niet Jenniffer, Shakespeare!' siste ze.

'Wat heb jij?' vroeg ik.

Ze staarde een moment voor zich uit.

'Ik weet het niet,' zei ze, 'maar het voelt verschrikkelijk. Op de een of andere manier ben ik kwaad op je en wil ik het liefst Jenniffer's hoofd van haar lijf rukken, maar het voelt toch ook...' Ze staarde me aan en vervolgde: 'alsof mijn territorium is betreden.'

Ik keek haar ongelovig aan.

'Ben je jaloers?' Ik kon het niet helpen, maar er klonk enige geamuseerdheid door in mijn stem.

'Jaloers?' vroeg ze onbegrijpend.

'Voel jij je bedreigd?' vroeg ik, haar herinnerend aan het gesprek dat we een tijd terug over Jenniffer hadden gehad.

'Nee,' zei ze abrupt.

Ze keek een moment bedenkelijk.

'Jawel,' zei ze, 'maar eigenlijk wil ik liever niet dat je dat weet.'

Ik begon te lachen.

'Lily?'

'Ja?'

'Wat als jij en ik dit weekend iets gaan doen?'

'Buiten school?' vroeg ze.

'Wilde je in het weekend naar school dan?' vroeg ik grijnzend.

'Dat zou ik wel willen,' antwoordde ze serieus.

'Is dat een ja?' vroeg ik.

'Dat moet ik thuis overleggen,' antwoordde ze, 'maar als het aan mij ligt is het een ja.' Ik trok mijn wenkbrauwen op.

'Dat is alles? Ik hoef niet op mijn knieën? Ik hoef je niet te chanteren, niet eens te smeken?'

Ze keek ietwat verlegen en gaf me een duw.

'Ik kan altijd nog van gedachten veranderen, Carter Johnson.'

10. Zon, zee, strand en ongewenst bezoek

'Carter, ik mag mee!' kwam ze me die vrijdag enthousiast vertellen.
Ik was opgelucht dat ze er daadwerkelijk zin in bleek te hebben.
'Geweldig! Hoe laat zal ik je op komen halen?' vroeg ik.
'Ophalen?'
'Ja,' zei ik beduusd, 'Of wilde je naar mij toe komen?'
'Gaan we niet meteen uit school?' vroeg ze.
'Ik zei: in het weekend,' antwoordde ik.
'Vrijdag is weekend,' kaatste ze terug.
Ik keek naar haar teleurgestelde gezicht.
'Goed, dan gaan we vanmiddag,' besloot ik.
'Vanmiddag,' beaamde ze blij.
Ze glimlachte naar me, maar haar stem klonk zoveel vrolijker dan haar gezicht
weerspiegelde. Ik vroeg me af hoe haar lach zou klinken. Hoe het zou zijn als
ze haar witte tanden bloot lachte. Ik probeerde haar de rest van de dag aan het
lachen te maken, maar zonder veel succes. Ik was blijkbaar niet zo grappig als
ik altijd gedacht had. Ik kreeg wel weer een glimlach, nadat ik mijn vrienden
verontschuldigend gedag zei en weer bij haar onder de grote eik ging zitten,
zoals we nu elke pauze deden. De rest van de schooldag ging snel voorbij en
Lily leek erg veel zin in ons uitje te hebben.
'Gaan we?' vroeg ze opgewonden, nadat de laatste les was afgelopen.
'Hey C!' Ik keek om en zag Arthur staan met een paar anderen.
'Wat is er?' vroeg ik.
'Wat er is? We gingen naar jouw huis, man,' zei Arthur.
Oeps.
'O ja, sorry, vergeten.' Ik wees verontschuldigend naar Lily.
'Wordt een andere keer.'
Ik wachtte hun reactie niet af en opende het portier voor Lily. Ik stapte zelf ook
in en startte de auto.
'Ik zie jullie maandag,' zei ik en reed weg.
Het was perfect strandweer, de zon scheen en er was nauwelijks wind.
'Het is iets langer dan een uur rijden naar het strand,' zei ik tegen Lily, zodra
we de snelweg opreden.
Het voelde zo raar om Lily in mijn auto te hebben en steeds verder van school te
rijden. Ik keek naar haar en zag hoe ze genoot van de wind door haar haren.

'Je auto heeft geen dak,' merkte ze op.

'Klopt,' zei ik.

'Ik vind het fijn. Het voelt vrij.'

Ik glimlachte en zette een cd op.

'O, ik moet thuis nog vertellen waar we heen gaan.' Ze pakte haar mobiel en drukte wat onhandig op een aantal toetsen.

'Het strand is vlakbij het Labworth Café aan de Eastern Estlanade,' antwoordde ik.

'Moet ik je helpen?' vroeg ik na een aantal minuten naar haar geklungel met haar mobiel te hebben gekeken.

'Het lukt best,' antwoordde ze koppig.

Ze had gelijk, na een kwartier lukte het haar inderdaad.

'Ik wist niet dat je een mobiel had. Ik heb je nummer niet eens,' gaf ik subtiel aan.

'Ik gebruik hem ook alleen maar om Joan te bellen,' antwoordde ze.

'Wie is Joan?' vroeg ik nieuwsgierig.

'De blonde vrouw waarmee je me op mijn eerste schooldag zag.'

Ik wilde iets zeggen, maar opeens hoorde ik het pianostuk From the heart voorbijkomen op mijn cd met favorieten en probeerde de cd-speler ietwat gegeneerd uit te zetten.

Lily greep mijn hand en liet hem direct weer los.

'Laat staan,' zei ze. 'Dit is mooi.'

'Je houdt van dit soort muziek?' vroeg ik verbaasd.

Ze knikte.

'Het maakt me rustig,' antwoordde ze.

Ik keek haar aan. Ze bleef me keer op keer verrassen. Aan mijn vrienden had ik deze interesse nooit kunnen uiten. Lily deelde hem echter. Ze sloot haar ogen, legde haar hoofd tegen de stoel en luisterde.

'Heb je eigenlijk nog broertjes en zusjes?' vroeg ik.

'Shh, vraag maar na het liedje,' zei ze zonder op te kijken.

Ik grinnikte en wachtte geduldig tot het liedje af was gelopen.

'Heb je nog meer van dit soort muziek?' vroeg ze in plaats van mijn eerdere vraag te beantwoorden.

'Waarom?' vroeg ik.

'Zodat ik je stomme vragen niet hoef te beantwoorden,' zei ze nuchter.

Ze zei het niet onvriendelijk. Het was gewoon weer een typisch Lily-antwoord.

'Heb jij eigenlijk broertjes of zusjes?' vroeg ze.

'Jij weet mijn vragen altijd te de ontwijken,' verweet ik haar.

'Ja,' zei ze simpelweg.

We keken elkaar afwachtend aan, maar ik besefte dat ze niets zou loslaten.

'Ik heb een broertje,' zei ik zuchtend, als teken dat ik me gewonnen gaf.

'Hij heet Tyler en hij is veertien jaar.'

'Lijkt hij op jou?' vroeg ze.

'Nee. Nee, helemaal niet,' antwoordde ik.

'Hij is verstandiger en meer volwassen dan ik, ook al is hij jonger.'

'Hoe komt dat?' vroeg ze.

Oei, gevoelig punt. Ik slikte even.

'Vanwege onze thuissituatie, denk ik,' zei ik.

'Wat is daar dan mee?' vroeg ze.

Ik haalde mijn schouders op.

'Je kan het me best vertellen,' moedigde ze me aan.

'Jij vertelt mij ook niks,' herinnerde ik haar.

'Als je mij dit vertelt, vertel ik jou misschien ook iets over mijn thuissituatie.'

Ik twijfelde nog even, maar besloot haar haar zin te geven.

'Mijn moeder is vijf jaar geleden omgekomen bij een auto-ongeluk. Mijn vader heeft zich daarna helemaal op zijn werk gestort. Tyler probeert sindsdien zowel de rol van moeder als vader op zich te nemen.'

'Je hebt geen moeder meer,' zei ze medelevend.

Ik schudde mijn hoofd als bevestiging.

'Ik ook niet,' zei ze.

Ik keek haar verward aan en zei: 'Ik volg je niet meer, pas zei je nog...'

'Geloof me, ik heb geen moeder meer.'

Ik wist dat dit onderwerp verder verboden toegang was. Ze had me tot zover al in vertrouwen genomen en dat was genoeg, maar toch kon ik het niet helpen nieuwsgierig te zijn naar haar achtergrond. Lily vroeg vaak om een herhaling van het pianostuk. Ik merkte hoe langer de reis duurde, hoe onrustiger ze werd.

'Zijn we er bijna?' vroeg ze na een tijdje.

'Daar is het,' wees ik na een glinstering van de zee te hebben opgevangen.

Ik reed de parkeerplaats op. Ik stapte uit en liep om de auto heen om Lily's deur te openen.

'Wat doe je?' vroeg ik en keek hoe ze haar schoenen en sokken uittrok en deze achterin gooide.

'Ik moet het zand toch kunnen voelen,' verklaarde ze.

Ik lachte hoofdschuddend.

'Kom!' riep ze en sjorde me aan mijn arm richting het strand.

'Kijk uit,' zei ik toen er een andere auto de parkeerplaats op kwam rijden en ons passeerde.

Wie het eerste bij het water is!' riep ze en begon te rennen.

Ik wist nu al dat ik verloren had.

Lily was al uitgebreid aan het pootjebaden voordat ik haar had bereikt.

'Kom erin!' riep ze.

'Nee, veel te koud!'

'Helemaal niet, het is heerlijk. Voel maar.' Ze spatte me nat.

'Hey!' riep ik verontwaardigd.

Ik greep haar om haar middel en sleurde haar verder het water in.

'Carter!' protesteerde ze.

Ik kreeg een fikse duw en voor ik het wist lagen we allebei in het water.

Ik lachte.

'Fijn, je wordt bedankt,' zei ik.

Ik kreeg weer een plens water over me heen. Ik sproeide het water dat ik in mijn mond kreeg in haar gezicht.

'Hou op!' Ze lachte op een manier waardoor ik een glimp van haar parelwitte tanden opving. Het was echter nog steeds geluidloos.

'Kom, voordat je kou vat.' Ik hielp haar overeind.

'Ik heb het niet koud,' antwoordde ze.

'Nog niet.'

'Kunnen we een eindje lopen?' vroeg ze.

'Natuurlijk,' zei ik.

'Je moet je schoenen uitdoen,' zei ze. 'Dat loopt lekkerder,' voegde ze eraan toe, toen ik haar vragend aankeek.

Ik rolde met mijn ogen, maar trok gehoorzaam mijn schoenen uit. Zo liepen we met blote voeten over het strand.

'Kom je hier vaak?' vroeg ze.

'Af en toe, met vrienden.'

'Mag ik je iets vragen?' vroeg ze.

'Je doet niet anders,' grijnsde ik.

'O ja, dat is zo.' Ze glimlachte schaapachtig.

'Maar je mag me gerust alles vragen,' zei ik.

Ze wees op een stelletje een paar meter voor ons dat hand in hand liep.

'Waarom doen ze dat?'

'Hand in hand lopen?' vroeg ik.

Lily knikte. Ik keek haar aan.

'Ga je me ooit nog vertellen waar je vandaan komt? Misschien snap ik dan wat beter waarom ik je dit soort dingen keer op keer uit moet leggen.'

Ze keek bedenkelijk.

'Misschien ooit, maar niet vandaag,' antwoordde ze.

'En ook niet morgen?'

Ze schudde haar hoofd.

'Krijg ik nog antwoord op mijn vraag?' vroeg ze.

Ik keek naar het stelletje.

'Dat doe je als je graag bij elkaar in de buurt bent, dan wil je elkaar aanraken, elkaar vasthouden. Misschien doen ze het ook wel om de rest van de wereld te laten zien dat ze elkaar leuk vinden.' Lily liet me over de meest simpele dingen nadenken.

'Ik snap nog steeds niet waarom je dat zou doen,' zei ze.

Ik keek naar haar. Ik twijfelde even, maar raakte toen haar hand aan. En omdat ze deze niet terugtrok, pakte ik hem.

'Snap je het nu?' vroeg ik na een tijdje.

Ze knikte. Zo slenterden we verder. Ik trok haar iets dichter tegen me aan. Het was heerlijk haar zo dichtbij me te hebben en door niemand gestoord te worden. Lily zei en vroeg een hele lange tijd niets. Ze hield me gewoon vast en dat vond ik al meer dan prima. Terwijl we over het strand liepen, begon ik haar simpele vragen te stellen, vragen waarvan ik wist dat ze die kon beantwoorden, vragen zonder verleden. Haar favoriete kleur was blauw. Blauw stond voor vrijheid, vond ze. Haar favoriete boek was *Alice in Wonderland*. Soms had ik het idee dat Lily net als Alice in een wereld verkeerde die ze niet kende. Een favoriete film had ze niet. Haar favoriete bloem was de roos, natuurlijk. Dat had ik kunnen weten.

Het werd later, het begon te schemeren en de tempratuur daalde. Lily rilde. Ik sloeg mijn vest om haar schouders heen.

'Zullen we ergens naar binnen gaan?' vroeg ze.

Ik knikte en nam haar, nadat we onze schoenen weer aan hadden getrokken, mee naar het Labworth Café, dat iets verderop was.

'Wil je wat eten?' vroeg ik toen we gingen zitten.

Ze schudde haar hoofd en zei me dat ze geen honger had.

'Neem dan in ieder geval iets te drinken,' drong ik aan.

Dat wilde ze wel, maar ik kreeg niet te horen wat het moest zijn, dus ik bestelde maar twee cola.

'Gaat het wel? Je lijkt wat afwezig.' Ik keek haar aan.

'Het gaat prima,' antwoordde ze.

Ze schuifelde onrustig met haar voeten heen en weer. Ik weet dat ze aan mijn blik kon zien dat ik absoluut niet overtuigd was, maar ik liet het maar zo. Ze zou het me toch niet vertellen. Ik schoof de cola, die inmiddels geserveerd was, naar haar toe.

Ze nam kleine slokjes.

'Chocola vind je niet te eten, maar cola kots je niet uit?' vroeg ik.

'Ik vind dit ook niet lekker.'

'Waarom drink je het dan?'

'Omdat jij het voor me besteld hebt,' zei ze.

'Waarom zeg je dan niet dat je iets anders wilt?' vroeg ik verbluft.

'Omdat je het niet vroeg,' antwoordde ze.

'Sinds wanneer kan jij niet voor jezelf opkomen?' vroeg ik.

'Ik was... bezig,' mompelde ze.

Ik trok mijn wenkbrauwen op.

'Wil je iets anders?' vroeg ik.

'Graag,' zei ze.

'Wat?'

'Water.'

'Je doet toch niet aan de lijn, hè?' vroeg ik.

'Aan de lijn?' vroeg ze verward.

'Probeer je af te vallen?'

Ze keek me niet begrijpend aan. Ik keek op dezelfde manier terug.

'Als je een alien was, zou je het me vertellen, toch?' vroeg ik terwijl ik haar aanstaarde.

'Dat zou ik niet eens kunnen, aangezien je me nog steeds niet hebt verteld wat dat is,' zei ze.

Onze conversatie viel stil omdat een ober de bestelling op kwam nemen.

'Ik wil weten waar je vandaan komt,' zei ik zodra de ober buiten gehoorsafstand was.

94

'Dat zeg ik niet,' zei ze.

'Waarom niet?'

'Omdat ik niet tegen je wil liegen.'

'Vertel me dan de waarheid.'

'Dat kan ik niet, Carter.' Ze keek me aan. 'Geloof me, dat kan ik niet. Zelfs als ik het zou willen.'

'Maar je wilt het ook niet?' vroeg ik.

Ze schudde haar hoofd.

'Ik wil niet dat je het weet. Soms zijn leugens makkelijker om mee te leven.'

'Dat vind ik niet,' wierp ik tegen.

'O nee?' ze keek me doordringend aan en ik wist gewoon dat ze me eraan herinnerde dat mijn hele leven een leugen is. Dat alles wat ik doe niets meer is dan een schijnvertoning en dat de Carter die Lily kent iemand is waarvan de rest van de wereld niets af weet.

'Wat is de leugen dan, die je aan iedereen vertelt?' vroeg ik.

'Ik ben een uitwisselingsstudent uit Denemarken,' antwoordde ze.

'Dat is niet erg overtuigend,' zei ik.

'Waarom niet?' vroeg ze.

'Mensen uit Denemarken snappen het concept jaloers, weten waarom mensen handen vasthouden en weten wat aliens zijn.' Ik keek haar aan. 'Het enige overtuigende eraan is dat het je accent zou verklaren.'

Ze schudde haar hoofd en gaf geen antwoord.

'Lily, waarom weet je zo weinig van de bewoonde wereld?' drong ik aan.

'Misschien is jouw wereld anders dan de mijne,' antwoordde ze.

'We leven in dezelfde,' wierp ik tegen.

'Nu, ja.'

'Dus je bent toch een alien?'

'Wat is toch een alien?!' vroeg ze gefrustreerd.

'Iemand van een andere planeet.'

'Nee, ik kom van deze planeet,' antwoordde ze.

'Het lijkt er niet op.'

'Zou het je uitmaken als ik een alien was?' Ze keek me aan.

Ik schudde mijn hoofd.

'Nee.'

'Wat maakt het dan uit?' vroeg ze.

'Dat neemt niet weg dat ik nieuwsgierig ben en dat ik me zorgen maak.'

'Je zorgen maken?'

'Ja, ik vraag me af waarom je moet liegen over je herkomst.'

Ze glimlachte een beetje.

'Dat is lief, niemand heeft zich ooit zorgen om me gemaakt.'

'Omdat je dat niet toelaat.'

'Omdat ik die kans niet krijg,' antwoordde ze.

Lily's water werd op de tafel neergezet en we waren allebei abrupt stil.

'Waarom ben je zo bang om iemand toe te laten?' vroeg ik toen de ober weer weg was.

'Waarom ben jij zo bang om jezelf te zijn?' kaatste ze terug.

'Ik ben mezelf, bij jou.'

'En ik bij jou. Waarom is dat niet genoeg?'

'Het is genoeg,' zuchtte ik.

'Maar?' vroeg ze.

'Niet erg bevredigend,' antwoordde ik.

Ze glimlachte.

'Als je alles zou weten, zou je terug willen gaan naar de tijd waarin dat niet zo was.'

'Dat weet je niet,' zei ik.

'Ik geloof van wel.'

'Vertel me gewoon waar je vandaan komt.'

'Geloof me, waar ik vandaan kom, is nog je minste zorg,' zei ze.

'Wat is mijn grootste zorg dan?'

Haar gezicht betrok een beetje.

'Ikzelf,' zei ze.

'Heb ik de afgelopen tijd niet bewezen dat ik je wel aankan?' vroeg ik half grijnzend.

Lily lachte niet.

'Ik kan mezelf niet eens aan, Carter. Hou erover op, oké?' zei ze toen ik mijn mond weer opendeed om iets te zeggen.

'Ik wil er niet meer over praten.'

'Ik wil je helpen, waarom laat je dat niet toe?' vroeg ik.

'Ik ben een van de gevallen die niet meer te helpen valt,' antwoordde ze.

Daarmee was de discussie ten einde. Ze liet me niets meer vragen over het onderwerp en dronk haar water op.

'Ga jij maar vast naar buiten, dan betaal ik,' zei ik toen we klaar waren.

'Ik blijf liever bij jou,' antwoordde ze.

Ik weet niet waarom, maar ik had het idee dat ik daar zelf helemaal niets mee te maken had. Ik keek het restaurant rond.

'Wat is er toch?' vroeg ik. 'Waarom ben je de hele tijd zo afgeleid?'

'Betaal jij nou maar,' zei ze.

Dat deed ik, waarna ik samen met haar naar buiten liep.

We voelden er allebei niet zo heel veel voor om weer naar het strand te gaan, dus liepen we naar het park en zochten daar een bankje op.

'Ik zal toch moeten weten waar je woont,' zei ik na een tijdje.

'Hoezo?' vroeg ze.

'Hoe moet ik je anders thuisbrengen?'

'Je hoeft me niet thuis te brengen,' antwoordde ze kalm.

'Hoe kom je dan thuis?' vroeg ik verbaasd.

'Ik word opgehaald.'

'Je wordt opgehaald? Hier? Waar slaat dat op? Dan zou ik praktisch achter jullie aanrijden, waarom al die moeite als ik toch dezelfde kant op moet?'

Ze haalde haar schouders op.

'Mijn ouders vinden het niet erg,' antwoordde ze.

'Je ouders misschien niet, maar ik wel.'

Ze glimlachte een beetje.

'Laat het gaan, Carter,' zei ze.

Ik bromde wat.

'Dus ik moet je ook niet ophalen voor het bal?' vroeg ik.

'Dat hadden we al besproken. Nee,' zei ze.

'Dat hadden we besproken in een totaal andere situatie.'

'Inderdaad, je hebt me praktisch gedwongen met je mee te gaan,' zei ze vrolijk.

Ik grijnsde weer een beetje.

'Wil je nog steeds dat ik je na het bal met rust laat?' vroeg ik.

'O, de rust die ik dan zal hebben,' zei ze dromerig.

'Hey!' riep ik verontwaardigd.

'Waarom vraag je het als je het antwoord al weet,' glimlachte ze.

'Je weet maar nooit met jou,' bromde ik.

'Ik heb daarover ook nog een vraag voor jou,' zei ze.

Ik keek haar vragend aan.

'Waarom was je zo vastbesloten me mee te nemen naar het bal?' vroeg ze.

Ik grijnsde nu wat ongemakkelijk.

'Je was mooi, nieuw, interessant. Ik wilde graag met je gezien worden,' antwoordde ik eerlijk.

'Nu ben ik lelijk, oud en saai?' vroeg ze.

Ik lachte.

'Nee, natuurlijk niet, maar nu wil ik met je naar het bal om wie je bent, niet om wat je bent. En natuurlijk zie je er nog steeds goed uit. Ik kan niet wachten om de gezichten van iedereen te zien als ik met jou binnen kom lopen,' voegde ik eraan toe.

Ik kreeg een stomp.

'Au! Grapje!' Ik wreef over mijn schouder.

'Waarom was jij eigenlijk zo vastbesloten om mij af te wijzen?' vroeg ik.

'Omdat je het zo als vanzelfsprekend achtte dat ik met je mee zou gaan en omdat ik je nogal een arrogante kwal vond.'

'Nu niet meer?'

'Jawel, ik vind je nog steeds een arrogante kwal.' Ze glimlachte.

'Fijn,' zei ik.

'Wat? Ik mag geen grapjes maken?' vroeg ze.

'Ik betwijfel of het een grapje was,' zei ik.

Ze haalde haar schouders op.

'Ben je nog steeds een arrogante kwal dan?'

'Als ik ja zeg, wil je dan nog steeds met me naar het bal?' vroeg ik.

'Ik waag het erop,' glimlachte ze.

'Dan zeg ik: soms.'

'Dat is goed genoeg,' zei ze.

Ik keek haar aan.

'En hoe weet jij dat ik met een meisje naar het bal wil, waarvan ik niet eens weet waar ze vandaan komt.'

'Hm, wil je liever alleen dan?' vroeg ze.

Ik glimlachte en schudde mijn hoofd.

Opeens wist ik dat ik haar ging kussen, dat ik daar het hele gesprek naartoe had gewerkt. Haar reactie was echter erg demotiverend. Hoe meer ik naar haar toe boog, hoe verder zij naar achteren ging.

'Wat doe je?' vroeg ze achterdochtig.

Ik staarde haar aan en wist niet wat ik moest zeggen. Dit was me nog nooit overkomen en het was ronduit gênant. Ik probeerde het nog een keer, maar

Lily liet het niet toe.

'Wat je ook probeert te doen, doe het niet,' zei ze.

Ze keek weer zenuwachtig rond.

'Wat heb je toch?' vroeg ik. 'Je geeft me de hele tijd het gevoel dat we bekeken worden!'

Ze trok haar wenkbrauwen op.

'Kom, we gaan nog even naar het strand,' zei ze en stond op.

'Lily!' Met een zucht stond ik op en liep achter haar aan.

Gênant, gênant, gênant.

We liepen zwijgend naar het strand, terwijl ik constant rondkeek of ik ergens iets of iemand kon ontdekken wat Lily zo nerveus kon maken. Achter ons liep een ouder echtpaar, dat zorgeloos van elkaar aan het genieten was. Ik kon het niet opbrengen hen als schuldigen aan te wijzen voor Lily's gedrag. Alles zag er erg normaal uit en ik nam aan dat Lily gewoon niet had gewild dat ik haar kuste. Deze wetenschap was niet echt een opkikker voor mijn humeur.

Het werd later en de zon begon te zakken. Hiervoor had Lily blijkbaar terug naar het strand gewild, want ze ging op het zand zitten en keek hoe de zon steeds verder de zee in zakte. Ik knielde naast haar neer. Vreemd genoeg kon ik niet kwaad op haar zijn vanwege de afwijzing.

'Het is zo mooi,' zei ze zachtjes, terwijl ze naar het schouwspel van de kleuren rood, geel en oranje keek.

Ik keek niet naar de zonsondergang, maar naar haar.

'Ja, heel mooi,' beaamde ik.

Ze keek me aan en glimlachte. Ze kroop voorzichtig wat dichter naar me toe en legde haar hoofd op mijn borst. Ik sloeg mijn armen om haar heen, blij dat ik niet compleet afgewezen werd. De kleuren van rood en oranje deden me denken aan Lily's haar.

Zo keken we zwijgend naar de horizon, net zo lang tot de kleuren veranderden in donkerblauw. Toen klonk het geluid van een ongeduldige toeter. Lily sprong op.

'Ik moet gaan,' zei ze.

'Ik kan je thuis brengen,' probeerde ik nog een keer.

Ze schudde haar hoofd glimlachend. Ik hield haar handen vast.

'Dank je, voor vandaag,' zei ze.

Haar lach maakte me overmoedig en toen ze weg wilde lopen, trok ik haar terug om het nog een keer te proberen, maar ze legde haar vinger op mijn lippen en weer werden voor een moment al mijn gedachten uit mijn hoofd geblazen.

'Niet vandaag,' zei ze.

'Ook niet morgen?' nam ik voor de tweede keer aan.

'Misschien ooit,' glimlachte ze.

Ik kuste haar wang, dat liet ze toe. Het verwarde haar ook.

Ze ging met haar hand over de plek waar ik haar gekust had.

'Hm,' bracht ze uit, diep in gedachten verzonken.

'Ik zie je maandag,' zei ik.

Twee dagen zonder haar. Was dat zo lang als het leek?

Lily leek ook niet te springen bij het vooruitzicht van weekend. Ze knikte, draaide zich om en rende naar de parkeerplaats waar een auto op haar stond te wachten. Ik keek en zag hoe de auto uiteindelijk uit het zicht verdween.

Ik stond wat hopeloos op het strand en besloot dat het voor mij ook tijd was om naar huis te gaan. Onderweg zocht ik vergeefs naar de auto waarin Lily was opgehaald. De hele reis terug draaide ik het nummer dat zij zo mooi vond.

Het was elf uur toen ik thuis arriveerde. Het verbaasde me dat ik nog geen boze telefoontjes van mijn vader had ontvangen over waar ik uithing. Ik had tenslotte niets gezegd. Ik wilde de deur openen, maar Tyler was me voor.

'Carter!' zei hij blij.

Zijn stem klonk onnatuurlijk.

'Hoi Ty,' zei ik en wilde naar binnen stappen, maar hij hield me tegen.

'Zullen we ergens heen gaan?' vroeg hij.

'Ergens heen gaan?' vroeg ik verbaasd.

'Ja, je weet wel, stappen.'

Ik trok mijn wenkbrauwen op.

'Ty, wat is er aan de hand?' vroeg ik.

'Aan de hand?' vroeg Tyler onschuldig. 'Er is niets aan de hand. Kom, laten we gaan.'

'Gaan? Tyler, jij wilt nooit uit. Als jij een weekend niet leert, is het een weggegooid weekend voor je.' Ik probeerde weer naar binnen te stappen.

'Tyler, laat me er langs,' gebood ik dreigend.

Tyler zuchtte.

'Oké, maar blijf rustig, goed? Flip alsjeblieft niet,' vroeg hij smekend.

'Flippen? Waarom zou ik flippen?'

Ik stapte naar binnen en gooide mijn vest in een hoek en liep met Tyler op mijn hielen naar de woonkamer. De geluiden die me tegemoet kwamen, klopten niet. Ik hoorde stemmen en gelach. Voorzichtig liep ik naar de deuropening. Op de bank zat mijn vader met een jonge, blonde vrouw, allebei met een glas wijn in hun hand en hevig lachend over iets wat mijn vader zojuist had gezegd.

'Carter!' riep mijn vader vrolijk, te vrolijk.

Tyler pakte mijn arm als teken dat ik mijn zelfbeheersing moest bewaren.

'O, hoi Carter.' De blonde vrouw stond op om me een hand te geven.

Ik pakte de hand niet aan, maar staarde afwezig naar mijn vader.

'Hoe weet je mijn naam?' vroeg ik, zonder haar aan te kijken.

'Van je vader, natuurlijk, hij heeft me zoveel over je verteld.' Nu keek ik haar aan.

'Ja, het verbaast me ook nog elke dag dat hij mijn naam weet,' zei ik.

'Carter!' siste Tyler.

Ze lachte wat ongemakkelijk.

'Ik ben Cecile,' zei ze om de spanning te doorbreken of gewoonweg uit beleefdheid.

Ik was niet in de stemming om beleefd te zijn. Ze was mooi, maar lang niet zo mooi als mam was geweest.

'Cecile,' mijmerde ik woedend en voelde hoe het laatste beetje zelfbeheersing uit me wegsijpelde.

'Carter, ik denk dat het tijd is voor je om naar boven te gaan,' zei mijn vader op een toon alsof hij het tegen iets had wat levensgevaarlijk was en elk moment kon losbarsten.

'Naar boven? Wat denk je dat ik ben? Elf?' blafte ik. 'Wat dacht je van wat uitleg?' vroeg ik met stemverheffing.

'Ik ben jou geen uitleg schuldig, Carter. En nu naar je kamer!' brulde mijn vader.

Ik zag hoe Cecile voorzichtig terug op de bank ging zitten. Ik stapte naar haar toe en hield mijn gezicht dicht bij de hare.

'Oké, maar ik waarschuw je, Cecile. Vanaf nu zal ik elke dag dat je hier bent tot een levende hel voor je maken, ik zal zorgen dat elke keer als je hier bent geweest de tranen over je wangen lopen. Elke keer als je een stap dichter in de buurt komt bij het vervangen van mijn moeder zal ik je laten wensen dat je nooit geboren was.' Ik siste alles dreigend in haar gezicht en ik kreeg een ontzettende dreun van mijn vader.

Ik voelde mijn wang branden. Ik was alleen te woest om er aandacht aan te besteden.

'O, en ik hoop voor je, Cecile, dat jullie nooit kinderen krijgen. Eigenlijk hoop ik dat niet voor jou, maar voor de kinderen zelf.' Ik richtte me tot mijn vader. 'Nu ben ik klaar om naar boven te gaan,' brieste ik en wreef over mijn wang.

'Carter, je bent dit keer echt een stap te ver gegaan!' riep mijn vader uit.

Ik negeerde hem.

'Carter! Carter, kom hier. Carter, luister naar me! Ik ben je vader en nu kom je hier!'

Ik stond stil en draaide me om.

'Jij bent mijn vader niet. Je bent een man die ik niet ken, niet wil kennen en nooit zal kennen. Wil je weten wie mijn vader was? Mijn vader was Patrick Johnson. Hij was verliefd op mijn moeder. Aanbad de grond waarop ze liep. Hij kon niet wachten tot hij thuis was om tijd met zijn familie door te brengen.' Ik hoorde Tyler zachtjes bij me vandaan schuifelen. Ik wist dat dit te pijnlijk voor hem was.

Mijn vader liep paars aan van woede en hij deed me op die manier aan meneer Wilson denken. Ik was echter nog lang niet klaar met mijn betoog.

'Hij was trots op zijn vrouw en op zijn zoons. Hij was er altijd voor hen en niets stond tussen hen in.' Ik merkte hoe de tranen over mijn wangen stroomden, omdat ik de man waar ik het over had zo erg miste. Zo erg, meer dan ik hem ooit had laten blijken, meer dan dat ik hem zelfs nu liet blijken.

'Maar toen stierf mam en ik denk dat hij samen met haar gestorven is, want ik heb hem daarna nooit meer gezien.' Ik snikte woedend: 'Terwijl we hem nu het hardst nodig hebben!'

Ik keek mijn vader aan, maar ik kon niets van zijn gezicht aflezen.

'Maar blijkbaar heb je wel tijd voor vrouwen in plaats van voor je eigen kinderen.' Ik knikte naar Cecile.

'Je moeder is er niet meer, Carter, zij is dood,' zei mijn vader, alsof daarmee alles opgelost was.

'Ja,' ik keek hem aan, 'en jij voor mij ook.' Ik draaide me om en stormde de trap op.

'Ik denk dat het beter is als ik ga,' hoorde ik Cecile beneden zeggen.

'Nee, blijf,' drong mijn vader aan. 'Ik heb je nodig, nu meer dan ooit,' mompelde hij.

Cecile schudde ferm haar hoofd en dat deed me al iets meer respect voor haar opbrengen.

'En je zoons hebben jou nodig,' antwoordde ze.

Het respect dat ik zojuist voor haar begon te voelen, werd meteen weer de bodem ingeslagen toen ze mijn vader kuste voor ze de deur uitliep.

'Ik zie je op kantoor, Patrick,' en ze verdween naar buiten.

Ik rende verder naar boven en wilde mijn kamerdeur net dichtrammen toen ik een snik hoorde die niet van mij kwam. Tyler stond hopeloos voor mijn deur. Huilend.

'Wanneer leer je nou eens je grote mond te houden!' riep hij uit. 'Er komt een dag dat hij je het huis uitsmijt!'

'Dat zou pap nooit doen,' zei ik, terwijl ik mijn tranen afveegde.

'Maar je hebt gelijk, het is pap niet meer!' schreeuwde Tyler.

'Er komt een dag dat je hem te veel wordt en dan schopt hij je eruit en wat moet ik dan, Carter? Wie moet er dan voor mij zorgen? Naar wie moet ik dan toe? Wie heb ik nog als ik jou niet meer heb?' Hij duwde me gefrustreerd tegen mijn borst aan.

Ik greep hem vast en hield hem tegen me aan en liet hem uithuilen.

'Je weet toch waarom pap het zo moeilijk vindt om in jouw buurt te zijn?' snikte Tyler.

Ik fronste mijn wenkbrauwen.

'Omdat ik zijn nieuwe vriendin de waarheid zeg?' vroeg ik onschuldig.

'Omdat je op mam lijkt, Carter! Je hebt haar ogen, haar haar. Zij zei ook alles wat ze dacht en hij vindt het moeilijk om elke dag nog steeds aan haar herinnerd te worden, via jou.'

'Waarom vindt hij dat zo lastig? Hij zou juist blij kunnen zijn dat hij nog een stukje van mam heeft.'

Tyler schudde zijn hoofd tegen mijn borst aan.

'Je haat hem, Carter, of je doet in ieder geval alsof je hem haat en omdat je zo op mam lijkt, is het soms net alsof mam hem haat en hij kan daar niet mee leven,' antwoordde Tyler.

Hij was heel wijs voor zijn leeftijd, maar deze uitbarsting liet zien hoe jong hij eigenlijk nog was. Hij was ondanks al zijn moederlijke instincten nog steeds een kind en dit was een schreeuw om aandacht, om te laten zien hoe erg hij nog iemand nodig had om voor hem te zorgen.

'Ik laat je nooit in de steek, Ty. Als pap me eruit gooit, neem ik je gewoon met me mee.' Ik ging met mijn hand door zijn haren.

Ik voelde Tyler glimlachen.

'Weet je, als ze mam's plaats niet probeerde in te nemen, zou ik haar misschien best aardig vinden,' mompelde hij. Ik was blij dat Tyler Cecile ook zag als iemand die mam probeerde te vervangen, dan stond ik daar tenminste niet alleen in.

'Wat als we morgen iets leuks gaan doen? Gewoon, jij en ik.'

'Maar ik heb een proefwerk maandag!' wierp Tyler tegen.

Ik tikte hem op zijn hoofd.

'Maar ik kan zondag ook leren,' besloot hij glimlachend.

'Goed, dan nu naar bed.'

'Gaan we nu ouderlijk worden?' vroeg hij grappend.

'O, en dit is nog maar het begin!' dreigde ik.

Tyler glimlachte en knuffelde me.

'Welterusten.'

Ik slikte.

'Welterusten, Ty.'

Hij verdween zijn kamer in en ik de mijne.

'Hij had je niet mogen slaan,' mijmerde hij nog.

Ik dacht na over wat Tyler had gezegd. Hij had gelijk, ik haatte mijn vader niet echt. Ik deed ook niet alsof, maar de man die mijn vaders plaats had ingenomen, haatte ik tot in het diepste van mijn ziel.

11. Aanval

Mijn vader vertrok die zaterdagochtend vroeg naar zijn werk, zoals altijd. Niets wees erop dat er gisterenavond in dit huis een ruzie had plaats gevonden. Ik voelde me alleen wat ongemakkelijk bij het idee dat Cecile bij mijn vader werkte. De baas en de secretaresse, het was zo typisch. Ook al wist ik niet eens of ze wel een secretaresse was, maar ik dacht niet dat ik het kon verdragen als ze een hogere positie had.

Door al het gedoe had Lily mijn gedachten niet geplaagd afgelopen nacht, maar mijn vader. Nu het ochtend was en mijn vader ver weg op zijn kantoor zat, was er weer voldoende ruimte voor Lily om mijn gedachten te betreden. Ik had het ontzettend leuk met haar gehad gisteren, het was alleen jammer dat de afsluiting van de hele dag zo'n domper was. Toch kon ik het nog steeds niet uitstaan dat ik haar geheimen niet wist te ontcijferen. Er was iets, iets wat ze me niet vertelde, iets wat ze verborgen hield. Niet alleen voor mij, maar ook voor de rest van de wereld. Dat had ze zelf toegegeven. Ze was een uitwisselingsstudent, zei ze, of hoorde ze te vertellen, maar de vraag was waarom. Ze had mij echter nooit met die leugen om de oren geslagen.

'Wat gaan we vandaag doen?' vroeg Tyler en ging bij me aan tafel zitten.

'Wat wil je doen?' vroeg ik, blij dat hij me kwam afleiden.

Hij haalde zijn schouders op.

Ik sloeg mijn handen in elkaar.

'Ik weet het!' riep ik.

'Wat?' vroeg Tyler met een volle mond.

'Eet op. We gaan een ritje maken.' Ik sprong op en greep mijn sleutels.

'Carter!' Tyler zat me op de hielen.

'Waar gaan we heen?'

'Stap in en je zult het zien,' grijnsde ik.

'Wat gaan we doen?'

Ik stak mijn hand op als teken dat hij stil moest zijn aangezien ik een sms'je kreeg. Arthur vroeg wanneer ik naar zijn huis kwam en ik stuurde een bericht terug dat ik met Tyler op stap was en dus niet kon.

Tyler zuchtte, propte de rest van zijn boterham naar binnen alsof het zijn laatste zou zijn en sprong in de auto.

'Bedankt, Carter,' zei Tyler op de terugweg.

'Graag gedaan,' knipoogde ik.

Op schoot hield Tyler zijn nieuwe schildersspullen: canvas, kwasten, verf, achterin lag een ezel.

'Kan je eigenlijk wel schilderen?' vroeg ik.

'Niet zo goed als jij,' mompelde hij.

'Waar heb je het over? Ik kan niet schilderen.'

'Nee, maar ik heb nog nooit iemand zo zien tekenen als jij, maar misschien heb je gelijk en is schilderen anders,' antwoordde hij.

Ik knikte instemmend.

'Ik zou me geen raad weten met een kwast,' moedigde ik Tyler aan.

Ik had al een tijd niet getekend, eigenlijk niet sinds ik Lily had ontmoet. Ik zou het graag weer eens doen.

'Mam schilderde vroeger,' zei ik.

'Ja, dat deed ze,'

'Wat ga je als eerste schilderen?' vroeg ik.

'Ik heb geen idee,' antwoordde Tyler.

'Waar haal jij je inspiratie altijd vandaan?' vroeg hij.

'Leraren,' grijnsde ik.

'Heb je weleens iets anders getekend dan alleen leraren?'

'Ik maakte vroeger altijd strips,' herinnerde ik me.

'Ja, dat weet ik nog,' zei Tyler.

Mijn mobiel ging.

'Carter.'

'Carter, waar ben je, man?' Arthur liet een partij scheldwoorden vallen die niet voor herhaling vatbaar was.

'Wat is er?' vroeg ik.

'Wat er is? Hij vraagt wat er is!' hoorde ik hem zeggen.

'Het is Jason's verjaardag, ontzettende eikel die je er bent, waar ben je?'

Oeps.

'Ik ben in de stad,' antwoordde ik.

'Geweldig, echt geweldig, Carter. Ik heb alles hier met Ashley moeten opbouwen! Hoe laat kun je hier zijn?'

'Arthur, relax. Adem!'

Arthur vloekte weer.

'Zeg hem anders dat hij weg kan blijven,' hoorde ik op de achtergrond.

'Was dat Jenniffer?' vroeg ik.

'Ja, maar daar gaat het nu niet om,' zei Arthur.

'Ik wil haar spreken.'

'Wat?' vroeg Arthur geïrriteerd.

'Ik wil haar spreken.'

Arthur zuchtte.

'Jenniffer!' riep hij.

'Hallo Carter,' zei ze op een manier waardoor ik haar het liefst door de telefoon zou willen sleuren.

Ik wist dat ze aan het stoken was tussen mij en mijn vrienden. Arthur was anders nooit zo prikkelbaar.

'Luister, jij, opgeblazen, vieze, vuile...'

'Carter, stop!' Tyler greep de telefoon.

'Jenniffer, hij belt je terug.'

'Reken maar dat ik je terugbel en als ik je terugbel, ga je wat beleven!' schreeuwde ik.

Tyler hing op en keek me aan.

'Wat?' vroeg ik.

'Adem,' herhaalde hij mijn eigen woorden.

'Ik adem! Waarom pakte je de telefoon af?'

'Omdat je spijt zou krijgen van wat je wilde gaan zeggen,' antwoordde hij.

Ik zuchtte geïrriteerd.

'Ga je naar het feestje?' vroeg hij.

Ik schudde mijn hoofd.

'Jij slaat een feestje over?'

Ik knikte.

'Waarom?'

'Omdat ik al mijn vrienden op dit moment even niet uit kan staan.'

'Alleen Jenniffer niet.'

'Jenniffer heeft lopen stoken,' zei ik.

'Dus?'

'Dus ik heb geen zin om vanavond alles recht te moeten praten.'

Tyler staarde me aan.

'Je laat iets op zijn beloop gaan?' vroeg hij ongelovig.

Ik dacht een moment na.

'Ja, ik denk van wel,' antwoordde ik.

Lily zou niet op het feestje zijn. Ik had ook geen idee hoe ik met haar in contact zou kunnen komen. Ik had haar nummer niet eens. Dat was het eerste wat ik haar ging vragen maandag. Ik voelde er helemaal niets voor om naar het feestje toe te gaan zonder haar cynische kijk op dingen. Ik beet op mijn lip. Dit was belachelijk. Hoe kon ik zo... ongeïnteresseerd zijn. Ook al besefte ik dat ik het was, het kon me niet schelen en het veranderde niet. Lily en ik hoorden nu samen, ook al waren we niet echt samen. Ik had geen zin om zonder haar iets te ondernemen. Het was triest, ontzettend triest, maar ik had nog steeds geen drang om naar het feestje te gaan. Het zou waarschijnlijk het eerste feestje zijn dat ik ooit over had geslagen, maar ik zou maandag alles oplossen. Niet vandaag en niet morgen.

Tyler hield al gauw over het onderwerp op, maar ik wist dat hij zich afvroeg wat er met me aan de hand was dat ik mensen de kans gaf die avond om over me te roddelen. Ik zette mijn mobiel uit om de boze sms'jes en de gemiste oproepen van Arthur niet te hoeven zien.

Tyler schilderde de rest van de dag niet, hij claimde dat hij nog steeds naar inspiratie zocht. Ik bewonderde hem, ik zou er het geduld niet voor hebben. Wel had hij al zijn spullen uitgestald in zijn kamer. De ezel richting het raam, zodat hij naar buiten kon kijken als hij zou gaan schilderen. Mijn vader zag ik de rest van het weekend niet. Ik zorgde ervoor dat ik in bed lag voordat hij thuiskwam en ik weet zeker dat hij thuiskwam als ik bed lag.

Ik miste Lily, het irriteerde me dat ik haar niet kon bereiken en ik was blij dat de maandag eindelijk kwam. Tyler was wat ziekjes en besloot de eerste twee uur gym, het enige vak waar hij soms voor thuisbleef, te missen om wat bij te slapen. De rest van de vakken volgde hij altijd, ook al had hij koorts.

Op school aangekomen, zag ik het busje van Lily al wegrijden, hetgeen betekende dat ze al binnen moest zijn. Haastig parkeerde ik mijn auto, sloot hem af en ging naar binnen, ernaar verlangend om haar gezicht weer te zien.

'Lily,' zei ik toen ik haar zag, een glimlach speelde rond mijn lippen. Ze keek op. Ik kreeg direct een glimlach, zonder er iets voor te hoeven doen.

'Carter,' haar ogen twinkelden vrolijk.

En dat was alles. Geen interessante begroeting. Geen herinnering aan het weekend. Dit was het en daar zou het bij blijven en ik wist niet of ik teleurgesteld was.

Ze bestudeerde ons rooster. Ik keek over haar schouder mee.

'O, we hebben de eerste twee uur vrij!' zei ik.

Wat stom. Geschiedenis. Ik had het kunnen weten dat ze er niet zou zijn en had nog twee uur langer in mijn bed kunnen liggen.

'Twee uur vrij,' mompelde Lily. 'Wat gaan we doen in die tijd?'

Ik was verrukt dat ze het woordje 'we' gebruikte.

'We zouden naar mijn huis kunnen gaan,' stelde ik voor.

'Naar je huis?' vroeg ze verbaasd.

'Ja, dan kun je mijn broertje ontmoeten, iets waar hij al weken over zeurt.'

Ik glimlachte.

'Ik weet het niet,' mompelde Lily.

'We zijn binnen twee uur weer terug, voor de volgende les begint,' zei ik.

Ze zuchtte.

'Goed dan.'

Ik grijnsde. Haar maag rommelde. Ik keek haar aan.

'Weer honger?' vroeg ik.

'Nee,' loog ze.

Ik ging er niet op in.

'Kom,' zei ik.

Toen wij naar buiten liepen, kwam Arthur zojuist naar binnen. Hij keek me aan. Een frons tussen zijn wenkbrauwen en hij opende zijn mond om iets te zeggen. Ik betwijfelde of het vriendelijk zou zijn.

'Niet nu, Arthur,' zei ik verveeld.

'Grappig, dat is de laatste tijd het enige wat ik van je hoor: niet nu,' kaatste hij terug. 'Wat is er toch met jou, Carter? Je verwaarloost je vrienden, gunt niemand meer een blik waardig!'

Ik wendde me tot Lily en fluisterde: 'Waarom ga jij niet alvast naar mijn auto?'

Ze knikte en liep weg.

'Je loopt alleen nog maar achter *haar* aan!' ging Arthur door.

Ik hoopte dat ze dat niet gehoord had. Ik liet Arthur zijn frustraties spuien.

'Ik heb veel van je gepikt, Carter, en ik heb het voor je opgenomen bij Jenniffer toen je aan Lily's kant stond terwijl Jenniffer's gezicht verminkt was door de rode krassen waar zij voor had gezorgd. Ik ben niet boos geworden toen je ons liet stikken omdat je na school haar zo nodig met je mee moest nemen, terwijl we nota bene naar jouw huis zouden gaan. Dat stond al weken gepland, Carter. Al weken! Je komt in de pauze nooit meer bij ons zitten, je laat Jason zitten op zijn verjaardag en dat noemt zichzelf dan een vriend? Wat is er gebeurd met: nooit een meisje ergens tussen laten komen? Leg mij dat maar eens uit!'

'Je kan me niet verbieden bevriend te zijn met Lily, ' was mijn enige reactie.

109

Ik stelde mijn zelfbeheersing ernstig op de proef.

'Dat doe ik ook niet, maar het is net alsof zij jou verbiedt met *ons* bevriend te zijn.'

Ik snifte minachtend en schudde mijn hoofd. Hij wist niets van Lily.

'Ik zie je wel weer, man.' Ik had hier nu geen zin in. Geen zin om ter verantwoording geroepen te worden. Geen zin om het uit te leggen. Hij zou het toch niet begrijpen.

Ik liep langs hem heen naar buiten en hij staarde me beduusd na.

Ik liep naar waar mijn auto geparkeerd stond. Eigenlijk mochten we het schoolterrein niet af, ook al hadden we vrije uren, maar het leek me niet verstandig Lily dat te vertellen. Ze was al in de auto geklommen, niet moeilijk zonder dak. Ik ging naast haar zitten en zuchtte een moment.

'Wat was dat tussen jou en Arthur?' vroeg ze toen ik de motor startte.

Ik zuchtte.

'Het is gecompliceerd,' antwoordde ik.

'Alles is bij jou altijd gecompliceerd.'

Ik keek haar aan.

'We hadden gewoon een meningsverschil.'

'Heftig meningsverschil,' zei Lily.

'Vertel het me gewoon,' drong ze aan toen ik niet antwoordde.

'Arthur vindt dat ik onze vriendschap verwaarloos,' zei ik na even te hebben nagedacht.

'Waarom?'

'Vanwege jou.'

'Mij?'

Ik knikte.

'Het moet je toch opgevallen zijn dat ik de laatste tijd veel meer tijd met jou doorbreng dan met mijn vrienden.'

'O,' zei ze, 'dat spijt me. Dat is nooit mijn bedoeling geweest.'

Ik schudde mijn hoofd.

'Het is niet jouw schuld. Ik vind het fijn om tijd met jou door te brengen. Ik had niet door dat Arthur er zoveel moeite mee had. Iets wat ik eigenlijk wel had kunnen weten,' zei ik bedenkelijk.

Ik dacht aan Arthur's gevoelens voor Lily, maar ik slaagde er niet in sympathie voor hem op te brengen. Daarvoor was ik te jaloers.

'Waarom had je dat kunnen weten?'

'Het is wel eens eerder ter sprake gekomen,' antwoordde ik. 'Een tijdje terug.'
Lily knikte begrijpend.

'Hier is het,' zei ik en reed de oprijlaan op.

Lily stapte uit.

'Het is groot,' gaf ze aan.

'Ja,' lachte ik.

Ze keek me aan en liep naar de voordeur, die ik voor haar opende.

Haar maag rommelde weer.

'Wil je echt niets eten?' vroeg ik.

Ze schudde haar hoofd en we liepen de hal in. Lily scheen haar ogen uit te kijken en liep onmiddellijk naar het grote schilderij aan de muur. Het stelde een grote lelie voor. Mam had het schilderij ooit gemaakt.

'Dat is geen roos,' gaf Lily fronsend aan terwijl ze ernaar keek. Ik glimlachte.

'Nee, dat is een lelie. Net zoals jij,' zei ik.

'Ik ben dat niet!' protesteerde ze.

Ik schudde mijn hoofd. 'Ik bedoel dat de bloem net zo heet als jij,' legde ik uit.

'O,' antwoordde ze alleen maar verbaasd.

'Het was mijn moeders lievelingsbloem,' zei ik.

'Wie is je moeder?' vroeg ze.

Ik wees naar een fotolijstje op het tafeltje onder het schilderij.

'Dat is ze.'

Ik keek naar haar lachende blauwe ogen en haar ravenzwarte haar. Ze hield dezelfde lelie vast die ze had geschilderd.

'Mooi,' zei Lily.

'Het is een mooie bloem,' beaamde ik.

'Ik bedoel je moeder,' zei ze.

Ik keek haar aan en glimlachte weer.

'Kom,' ik nam haar arm en trok haar mee richting de woonkamer.

'Tyler!' riep ik.

Tyler kwam uit de keuken aanzetten.

Hij keek wat verbaasd toen hij Lily zag. Hij zag er al wat beter uit.

Ik glimlachte, omdat ik wist dat hij nooit had verwacht dat ik haar echt mee zou nemen.

'Lily, dit is Tyler, mijn broertje. Tyler, dit is Lily,' stelde ik hen aan elkaar voor.

Ik keek naar Lily. De manier waarop ze naar Tyler staarde, beviel me niet.

Haar ogen werden wijd. Elke spier in haar lichaam spande zich aan, haar handen balden zich tot vuisten en haar kaken klemde ze stijf op elkaar, alsof ze pijn had. Ik vroeg me af of ze weer een soort aanval zou krijgen. Het beviel Tyler ook niet, dat stond op zijn gezicht te lezen. Hij keek me vragend aan en Lily ademde zwaar.

'Hoi,' zei hij wat onzeker.

Het was alsof Lily in een tweestrijd verwikkeld was. Ze keek van Tyler naar mij en weer terug, maar ik begreep niet waarom. Het duurde even voordat ik bevatte wat er toen gebeurde. Het ging zo snel en het was zo onrealistisch. Lily wierp zich met een sprong op Tyler, haar witte tanden ontbloot. Het was afschuwelijk om te zien.

Tyler schreeuwde geschokt.

'Lily!' schreeuwde ik vol afschuw.

Lily en Tyler rolden over de grond. Ik probeerde haar van hem af te trekken. In een vloeiende beweging raakten haar nagels mijn gezicht. Ik stoof achteruit en voelde de tranen in mijn ogen prikken. Tyler sloeg weer een kreet. Dit keer greep ik Lily bij haar haren vast en trok haar van mijn broertje af. Ze gilde en greep naar haar hoofd. Ik duwde haar van ons af en een luid gerinkel volgde toen ze midden op de glazen salontafel viel. Daarna werd alles doodstil. Alleen het gesnik van Tyler en de zware ademhaling van Lily en mij waren hoorbaar. Ik keek niet om, om te kijken hoe het met Lily ging, maar knielde naast Tyler neer. Hij hield zijn rechterschouder met zijn hand vastgeklemd.

'Laat me even kijken,' bracht ik uit.

Gehoorzaam liet hij zijn schouder los en trok een pijnlijk gezicht. Ik hapte naar adem toen ik Lily's tandafdrukken, waar kleine straaltjes bloed uitsijpelden, in zijn schouder zag staan. Ik keek langzaam naar Tyler's gezicht en beet op mijn lip om mijn afschuw te verbergen. Niet alleen zijn schouder, maar ook zijn nek bevatte twee tandafdrukken en zijn tranen waren vermengd met bloed omdat ze zijn gezicht had opengehaald. Tyler snikte.

'Het komt wel goed,' zei ik met trillende stem.

Ik draaide me nu om naar Lily. Ze lag tussen het glas van de gebroken salontafel en trok kreunend een glasscherf uit haar arm. Ik had geen medelijden met haar.

'Eruit,' siste ik.

Ze keek me met grote, waterige ogen aan.

'Carter,' zei ze zwakjes.

'Ga weg, Lily.'

Ze stond langzaam op, zonder haar ogen van me af te wenden. Ze was er zelf ook niet al te best aan toe.

'Carter, alsjeblieft,' smeekte ze.

'Eruit, Lily!' brulde ik.

Ik greep haar vast en sleepte haar mee naar de voordeur.

'Het kan me niet schelen wat je bent of waarom je dit gedaan hebt, ik wil niks meer met je te maken hebben.' Ik keek haar woedend aan en duwde haar toen naar buiten.

'Carter!' hoorde ik haar roepen, maar ik had de deur al dichtgesmeten.

Ik liep terug naar Tyler.

'Carter, je gezicht,' fluisterde hij.

'Mijn gezicht? Heb je de jouwe al gezien?' vroeg ik half grijnzend, maar mijn grijns veranderde in een grimas toen ik weer naar mijn hulpeloze broertje keek.

'Ty, het spijt me zo.'

'Ik geloof niet dat ik helemaal goed begrijp wat er zojuist gebeurd is,' antwoordde Tyler.

'Ik ook niet, jongen.' Ik hielp hem overeind.

'Kom, we moeten die wonden schoonmaken.' Ik nam hem mee naar de keuken en haalde de EHBO-doos uit de kast.

'Je moet die hebben,' zei Tyler toen hij me wat hulpeloos in de kist zag kijken.

'Dit prikt misschien een beetje.' zei ik toen ik het ontsmettingsmiddel op een doek had gedaan.

Tyler trok zijn wenkbrauwen op.

'Oké, ik heb geen idee of het prikt, maar dat hoor je altijd in films,' zei ik grijnzend in een poging Tyler wat op te vrolijken.

Het lukte, onder al de rode strepen kon ik een glimlach ontdekken. Ik zou het zo lang mogelijk uit proberen te stellen om hem in de spiegel te laten kijken. Ik had het gevoel dat ik mijn eigen gezicht ook niet al te graag wilde zien. Ik drukte de doek op Tyler's schouder en hij trok een pijnlijk gezicht.

'Je hebt gelijk, het prikt,' antwoordde hij met opeengeklemde kaken.

Ik depte net zo lang op de wonde totdat het stopte met bloeden. Daarna was zijn nek aan de beurt. Ook de strepen op zijn gezicht probeerde ik zo goed als bacterievrij te krijgen. Daarna verbond ik zijn schouder. Tyler leidde me door het hele proces heen, door me te vertellen wat ik moest pakken en hoe ik het moest doen. Toen ik Tyler verpleegd had, was ik zelf aan de beurt. Hij maakte de krassen op mijn gezicht schoon en ik was iets kleinzeriger dan hij was geweest. Al die tijd spraken we geen woord over Lily.

'Carter.'

'Ja?'

'Wil je me een spiegel aangeven?'

'Tyler, ik weet niet of dat...'

'Alsjeblieft,' onderbrak hij me.

Ik zuchtte en pakte de handspiegel van mam uit de keukenla en gaf die aan hem. Voorzichtig gluurde hij erin. Het was een tijd stil.

'Ik hoop dat het geen littekens worden,' zei hij dapper.

Wat haatte ik Lily op dat moment. Het is zo raar hoe makkelijk zoiets gaat, als iemand degene pijn doet van wie je houdt.

'Tyler, het spijt me,' zei ik weer.

'Het is oké,' antwoordde hij en reikte me de spiegel aan.

Ik keek erin en zag hoe mijn gezicht net als dat van Jenniffer werd ontsierd door drie dikke strepen op mijn wang. Ook waren die in mijn nek nog steeds zichtbaar, maar daar hadden zich al korstjes op gevormd.

'In ieder geval sta ik niet alleen,' antwoordde Tyler glimlachend.

'En wie weet,' voegde hij eraan toe, 'misschien omdat jij het hebt, wordt het wel een ontzettende trend en dan ben ik een van de eerste die het ook heeft.'

Ik ging met mijn hand door zijn haar en zuchtte.

'Ik denk dat het beter is dat we de salontafel opruimen voordat pap thuiskomt,' zei ik.

'Ik bel school wel dat we ziek zijn,' zei Tyler en sprong op.

'En zorgen dat we op bed liggen als pap thuiskomt, zodat hij onze gezichten niet ziet,' voegde ik eraan toe.

'Het is niet weg na één dag,' merkte Tyler op.

'Dan houden we het net zo lang vol totdat het weg is.'

'Dat kan weken duren,' zei hij.

'Nou en? We doen niet anders.'

Tyler zuchtte.

'Dus dat was Lily, hè,' zei hij afwezig terwijl hij het nummer van de school intoetste en ik naar stoffer en blik zocht.

Ik kon hem niet antwoorden. Ik vroeg me niet meer af wie Lily was. Ik vroeg me af wat Lily was.

12. Herstel

De volgende dag op school was lastig. Ik betrapte mezelf erop dat ik uitkeek naar het witte busje waarin Lily zou arriveren, maar ze kwam niet. Ik wilde niet op haar wachten. Ik wilde haar nooit meer spreken of zien. Tenminste dat is waarvan ik mezelf probeerde te overtuigen. Ik besloot dat het tijd was om wat schade te herstellen. Toen ik het schoolterrein opliep, zag ik Arthur en de rest bij het gebruikelijke bankje. Ik liep ernaartoe. Ik voelde me vreemd. Ik had mijn zekerheid verloren, ik wist niet hoe ik onthaald zou worden.

Jason floot door zijn tanden.

'Carter, je ziet er niet uit,' zei hij.

Ik was blij dat hij er niet over begon dat ik zijn verjaardag had gemist. Zoals gewoonlijk maakte zijn vrolijke geest de omstandigheden een stuk beter voor mij.

'Ik weet het,' zei ik.

'Luister, Jason, sorry dat ik je feestje heb gemist.'

'Geen zorgen. Dat is vergeven en vergeten, maar wat is er met je gezicht gebeurd?'

'Zag ik Tyler ook niet met een opengehaald gezicht?' vroeg Arthur, zijn bezorgdheid deed onze laatste ruzie vergeten.

'Jaja, dat klopt.' Ik wist niet hoe ik dit uit moest leggen.

'Hoi Arthur, hoi Carter.' Jenniffer knipoogde slinks, terwijl ze langsliep met Ashley.

De krassen ontsierden nog steeds haar gezicht, maar er hadden zich net zoals in mijn nek korsten op gevormd.

Arthur keek me aan.

'Lily?' vroeg hij ongelovig.

Ik knikte langzaam.

'Heeft Lily je zo toegetakeld?' lachte Jason. 'Man wat heb je gedaan? Heb je haar gedumpt?'

'Dat is niet belangrijk,' zei ik.

'Waarom heeft ze Tyler dan ook een portie gegeven?' vroeg Frank.

'Eigenlijk was het Tyler die ze aanviel. Ik probeerde haar alleen maar van hem af te krijgen.'

'Wat heeft Tyler gedaan dan?' vroeg Arthur.

Ik haalde mijn schouders op.

'Niets. Hij deed helemaal niets.'

Het was even stil en toen begon Jason te lachen.

'Die chick spoort niet!' grijnsde hij.

De rest lachte mee. Het duurde even, maar toen lachte ik ook. Jason had gelijk: Lily spoorde inderdaad niet en ik hoefde er niet meer mee te leven. Geen rare vragen meer, geen belachelijke opmerkingen. Geen agressieve aanvallen. Ik kon mijn leven gewoon weer oppakken van het punt waar het gebleven was voordat ik Lily had ontmoet.

'Dus is het over tussen jullie?' vroeg Arthur.

'Ja, het is over,' zei ik.

Jason gaf me een klap op mijn schouder.

'Welkom terug, man. Als je het mij vraagt, bracht je veel te veel tijd met haar door,' zei hij.

Arthur gaf me een klap op mijn andere schouder.

'Het spijt me, maar ik moet met Jason instemmen,' grijnsde hij.

Het was goed om Arthur weer te zien lachen.

'Ik geef jullie gelijk,' zei ik.

'Carter!' wat haatte ik die stem.

Jenniffer kwam naast me zitten.

'Ik zie dat je dezelfde gezichtsbehandeling hebt gehad. Het is leuk om een keer de trendsetter te zijn,' giechelde ze.

Het was gewoon ongelofelijk dat Jenniffer na alles wat er gebeurd was nog steeds hoop had.

'Hoi Jenniffer,' zuchtte ik vermoeid.

Maar had ik mezelf net niet beloofd dat alles weer zo zou worden zoals het was voordat ik Lily had ontmoet?

'Ik hoorde dat het niet zo goed ging tussen jou en Lily. Dat spijt me echt,' zei ze met een stem waar de vrolijkheid vanaf droop.

Ze streelde de strepen op mijn gezicht.

'Heeft ze jou ook te pakken gehad. Carter, toch,' zei ze kinderlijk.

'We matchen nu tenminste wel,' fluisterde ze in mijn oor, terwijl ze half op mijn schoot kroop.

Ik wilde haar het liefst een dreun verkopen. Ik hoorde de jongens grinniken. Dit was het soort aandacht waar ik normaal van genoten zou hebben, maar ik had een veel te grote hekel aan Jenniffer om ervan te kunnen genieten. Toch hoorde Jenniffer bij mijn oude leventje en als ik dat weer op wilde pakken, moest ik het hele pakket nemen. Ik vermande mezelf.

'Ja, Jen, we matchen uitstekend,' zei ik en trok haar naar me toe en kuste haar. Er werd gejoeld. Arthur grijnsde breed. Jenniffer giechelde en bleef me ongegeneerd kussen, alsof ze wat tijd in had te halen. Ik duwde haar voorzichtig van me af als teken dat het genoeg was. Gelukkig hield mijn oude leventje ook in dat zij niks te zeggen had in onze relatie. Lily had altijd wel iets te zeggen. Ik schudde mijn hoofd en verbood mezelf nog aan Lily te denken, maar ik kon het niet helpen om, toen de bel ging, toch nog even om te kijken of het witte busje was gearriveerd.

Lily was er niet die dag, ze was er de hele week niet. Iets wat het zoveel makkelijker maakte om mijn oude gewoontes weer op te pakken, maar op de een of andere manier maakte Lily's afwezigheid me onrustig. Elke keer als ik haar lege stoel zag, wilde ik het liefst terug naar huis om in mijn bed te gaan liggen en mezelf gewoonweg ellendig te voelen. Het enige goede van dit alles was dat ik ervan genoot om weer beste maatjes met Arthur te zijn. Ik had het gemist om samen met hem de les te saboteren. De leraren dachten daar anders over, maar ik zorgde er zorgvuldig voor dat ik niet naar meneer Andrews gestuurd zou worden. Ik had er absoluut geen behoefte aan om met hem te praten, omdat ik zeker wist dat Lily dan ter sprake zou komen. Ook al was ik nieuwsgierig naar waar ze was.

Jenniffer dreef me echt tot het uiterste. Blijkbaar wilde ze aan de hele school laten zien dat we weer bij elkaar waren, want ze liet geen moment om te kussen onbenut. Een keer sleurde ze me zelfs tijdens een leswisseling een meisjestoilet in en begon me zo hevig te zoenen dat het leek alsof een van ons stervende was.

Toen ik die pauze van Arthur hoorde dat Jenniffer me zocht, wist ik mezelf bij de kluisje te verstoppen.

'Wat doe jij nou?' vroeg Norah toen ze me tussen de kluisjes en de muur geperst vond.

Ik legde mijn vinger op mijn lippen als teken dat ze stil moest zijn.

'Jenniffer,' vormde ik met mijn lippen.

Norah glimlachte.

'Als je haar niet uit kan staan, waarom zeg je haar dat dan niet gewoon?' vroeg ze fluisterend.

Ik trok Norah naar me toe om me achter haar te verstoppen toen ik die bekende, afgrijselijke stem mijn naam hoorde roepen.

'Shh!' zei ik toen Norah begon te lachen.

'Omdat ik geen moment rust zal hebben als ik het voor de tweede keer uitmaak,' fluisterde ik in antwoord op haar vraag.

'Waarom heb je het dan weer aangemaakt?' vroeg Norah zachtjes.

'Mensen doen domme dingen,' constateerde ik.

Norah giechelde.

'Carter?'

'Ja?' vroeg ik gedempt, terwijl ik keek of de kust veilig was.

'Wat is er gebeurd tussen jou en Lily?'

Ik keek Norah aan.

'Uit elkaar gegroeid,' zei ik bruusk.

Ik stapte met haar uit mijn schuilplaats toen ik zag dat Jenniffer nergens meer te bekennen was.

'Waarom geloof ik je niet?' vroeg Norah achterdochtig.

'Ik bedoel, kijk wat er met je gezicht is gebeurd,' voegde ze eraan toe.

'Het is gecompliceerd, ik wil er niet over praten,' zei ik.

'Oké,' zei Norah, 'maar als ik zo vrij mag zijn: ik vond Lily een stuk beter voor je dan Jenniffer.'

Het ontging me niet dat ze zei: een stuk beter voor je. Niet: een stuk beter bij je passen.

'Hoe bedoel je?' vroeg ik.

'Als je bij haar was, werd je een leuker persoon,' antwoordde ze.

Ik keek haar vragend aan.

'Je bent dol op haar, Carter, waarom doe je zo je best om dat te ontkennen?' vroeg ze toen ik haar vragend aankeek.

'Hoe kom je erbij dat ik dol op haar ben?' vroeg ik verdedigend.

'Carter, je bracht elke minuut van de schooltijd met haar door. Je liet vrienden links liggen, je populariteit was niet meer je eerste prioriteit. Toen ze die aanval kreeg, was je helemaal overstuur omdat er iets met haar was. Vertel mij nu niet dat je niet dol op haar bent.'

Norah wist en zag veel te veel.

'Valt best mee,' mompelde ik.

'Heeft het te maken met jullie dat ze niet op school is?' vroeg ze.

Ik haalde mijn schouders op.

'Ik weet het niet, Norah.'

'Het gaat mij ook niks aan natuurlijk. Ik hoop alleen dat alles goed met haar gaat. Ze lijkt altijd zo...' Norah zocht naar het woord.

'Zo... wat?' vroeg ik.

'Gekwetst,' zei ze, 'alsof ze door heel veel pijn is gegaan.'

Ik slikte.

'Geen zorgen, Carter. Ik zal je verstopplaats niet verder vertellen,' glimlachte ze en verdween de gang op.

'O, Carter, daar ben je!'

Ik klemde mijn kiezen op elkaar.

Jenniffer greep mijn hand.

'Kom, we gaan naar buiten. Iedereen wacht op je.'

'Arthur zei dat je me zocht.' Ze kon niet al die moeite gedaan hebben om me mee naar buiten te slepen.

'Ja, en nu heb ik je gevonden,' glimlachte ze.

'Ja, je hebt me gevonden,' zuchtte ik.

'Waar ik het eigenlijk even over wilde hebben, is het bal.'

Ah, daar had je de werkelijke reden al.

'Weet je al wat je aandoet? Dan kunnen we misschien dezelfde kleur kiezen.'

'Oranje.' Waarom was dat de eerste kleur die me te binnen schoot? Mijn lippen vormden een harde lijn. In ieder geval was het een kleur waar ik Jenniffer mee kon stangen.

'Oranje?'

'Ja, oranje.'

Jenniffer giechelde.

'Heel grappig.'

Geen grapje, Jenniffer. Geen grapje.

'Komen jullie nog?' riep Arthur met Ashley op zijn schoot.

'Ik dacht aan lichtblauw,' brabbelde Jenniffer terwijl we de rest naderden.

Ja, alles was weer zoals het moest zijn. Toch had ik me nog nooit leger gevoeld.

13. Vriendschap

Het zou zo makkelijk moeten zijn om Lily te vergeten nu ze de hele week niet op school was geweest en alles weer ging zoals voordat ik haar had ontmoet, maar ik wist dat ze toch een keer terug moest komen. Ik bleef mezelf afvragen of Lily misschien ernstige verwondingen had opgelopen van de salontafel. In de haast haar het huis uit te krijgen, had ik daar totaal geen aandacht aan besteed. Van de leraren had ik ook niks gehoord. Ik herinnerde mezelf eraan dat het me niet kon schelen. Ze had mijn broertje verwond en dat was een onvergeeflijke zonde voor mij.

Maar het kon me wel degelijk schelen, zo erg zelfs dat ik buikpijn had van het doen alsof het me niets kon schelen. Ik kon het dan ook niet helpen opgelucht adem te halen toen Lily die volgende week weer verscheen zonder al te ernstige verwondingen. Ik was opgelucht, maar nog steeds woest om wat ze Tyler had aangedaan. Elke avond keek hij in de spiegel en zei elke keer precies hetzelfde: 'Ik hoop dat het geen littekens worden.' Zelf hoopte ik ook dat mijn gezicht gespaard zou blijven van eeuwige strepen, maar Tyler ging voor.

Lily stapte de klas in zoals ze de eerste dag de klas instapte. Kin omhoog, ogen terneergeslagen. Ik kreeg een ontzettende déjà vu, behalve dan dat de gevoelens die ik voor haar had dit keer niet voortkwamen uit jaloezie, maar uit het pijn doen van iemand van wie ik hield. Er was slechts één ding anders: toen ze haar ogen naar me opsloeg, waren ze niet gevuld met haat zoals de eerste dag van onze ontmoeting, maar vol spijt, twijfel en smeekbeden.

'Kijk eens aan wie we daar hebben!' Jenniffer ging overdreven klef op mijn schoot zitten, terwijl ze haar ogen op Lily gericht hield.

Ze kuste mijn wang om haar territorium af te bakenen. Lily sloeg haar ogen weer neer en ging op haar gewoonlijke plek vooraan zitten.

'Jen, ga van me af, wil je. Ik krijg geen lucht.'

Arthur grinnikte en Jenniffer ging ietwat beledigd van mijn schoot, maar zei niets om haar geluk niet te veel op de proef te stellen.

'Met wie gaat Lily naar het bal, denk je?' vroeg Arthur aan me.

'Naar het bal? Hoe bedoel je?'

'Nou, nu jij niet met haar gaat, wie zal haar gaan vragen, denk je?' formuleerde Arthur zijn vraag anders.

'Waarom zou iemand anders haar vragen?' Het zweet brak me uit bij het idee dat Lily met iemand anders zou gaan dan met mij.

'Kom op, C, jij hebt toch al die tijd met haar doorgebracht? Ik bedoel kijk nou naar haar. Heel veel jongens zouden heel wat krassen op hun gezicht ervoor over hebben om met haar op het bal te verschijnen.'

Ik greep kreunend naar mijn hoofd.

'Alsjeblieft, Arthur, hou je kop. Ik kan dit niet aan.'

'Sorry, man,' grijnsde hij, 'maar het is waar.'

'Arthur,' zei ik waarschuwend.

'Zou je het erg vinden als iemand anders haar vroeg?'

Ja, vreselijk.

'Nee, het kan me niets schelen.'

Arthur glimlachte. Mijn aandacht hield ik niet bij die les. Hoe kon ik ook? Toen de les over was, wist ik niet hoe snel ik het lokaal uit moest komen. Ik ontliep Lily de hele ochtend en zij zocht mij ook niet op. Ik was blij toen het pauze was, maar ook daar kregen mijn gedachten geen moment rust vanwege Jenniffer.

'Carter, je hebt nog helemaal niets van mijn haar gezegd,' meldde ze.

Ik keek naar haar rode lokken.

'Waarom heb je het gekleurd?' vroeg ik.

'Ik vond het tijd voor iets anders. Vind je het niet mooi?' vroeg ze teleurgesteld.

Ik werd afgeleid door Lily, die onder de grote eik ging zitten.

'Carter?' vroeg Jenniffer ongeduldig.

'Hou je mond nou eens, wil je?' zei ik geïrriteerd.

'Carter!' siste Arthur misprijzend.

Jenniffer knipperde met waterige ogen. Ik zuchtte.

'Sorry, Jen, zo bedoelde ik het niet.'

'Wat heb jij toch?' vroeg Arthur toen we na de pauze naar onze volgende les liepen.

'Ik weet het niet. Jenniffer werkt gewoon echt op mijn zenuwen.'

'Ga dan met iemand anders naar het bal. Ashley gaat de laatste tijd wat vaker met Casey om, misschien kan je haar meenemen. Dan kunnen we alsnog met zijn allen gaan,' stelde Arthur voor.

Casey was net zo irritant als Jenniffer, alleen op een andere manier.

'Norah, met wie gaat Norah?' vroeg ik.

'Norah? Dat meisje dat altijd met Casey loopt?' Arthur keek bedenkelijk.

Ik knikte.

'Kent Ashley haar ook?'

'Ik denk het wel. Ik zal het vragen,' zei Arthur.

'Ik vraag het Norah zelf wel,' zei ik.

Arthur knikte.

'C, misschien kan je dit iets beter plannen dan de vorige keer toen je Jenniffer dumpte,' waarschuwde hij.

Ik wuifde zijn woorden weg.

'Wat maakt het uit. Ik ben al blij als ik gewoon van haar af ben.'

Arthur rolde met zijn ogen.

'Het is zeker moeilijk om met Jenniffer tevreden te zijn nadat je Lily hebt gehad?'

'Oké, wat is dit constant met Lily? Waarom ben je zo op haar gefocust?' vroeg ik geprikkeld.

'I-ik ben helemaal niet op haar gefocust,' stotterde hij.

'Dat ben je wel en ik vind het maar niets,' zei ik scherp.

'Wat kan jou het schelen? Het is over tussen jullie!' kaatste hij terug.

Ik balde mijn vuisten en slikte mijn woorden in.

'Je bent verliefd op Lily,' kreunde ik.

'Nee, dat ben ik niet,' snauwde Arthur.

Ik keek hem met opgetrokken wenkbrauwen aan.

'Hou je kop, Carter,' zei hij.

'Ex-vriendinnen zijn verboden toegang,' zei ik.

'Daar ben jij anders nooit van!'

'Nu wel!'

Arthur keek me aan.

'Je hebt spijt. Wat er ook gebeurd is, je hebt spijt dat je haar hebt laten gaan.'

'Ach, helemaal niet. Ik ga Norah zoeken,' zei ik om te bewijzen dat Lily me niets meer deed.

'Kom niet te laat voor de les!' riep Arthur me na toen ik naar de kluisjes liep.

Zoals ik had verwacht, pakte Norah zojuist haar boeken en propte ze in haar tas.

'Norah.'

Ze keek op.

'Hoi Carter,' glimlachte ze.

'Ik wilde je iets vragen.'

'Ja?' Ze keek me aan.

'Wil je met me naar het bal?' Ik was niet in de stemming om het helemaal in te pakken, dus ik vroeg haar het gewoon zoals het was.

Ze begon te lachen. Dat had ik niet verwacht.

'Oh, Carter,' zei ze grinnikend.

'Wat?' vroeg ik.

Dit hielp mijn humeur niet echt.

'Ga je niet met Jenniffer?' vroeg ze.

'Nee, niet meer,' antwoordde ik.

'Goed, ik vind ook niet dat je met Jenniffer moet gaan.'

'Dus je gaat met me mee?'

'Nee,' glimlachte ze.

'Waarom niet?' vroeg ik.

'Ik heb Lily net gesproken,' zei ze.

Geweldig.

'Wat er ook tussen jullie gebeurd is, Carter, ze heeft er spijt van en ze mist je.'

Ze mist me?

Norah vervolgde: 'Dus, sorry, ik kan niet met je mee, dan zou ik het gevoel hebben dat ik Lily verraad.'

Ik zuchtte.

'Het komt wel goed, Carter,' zei ze vriendelijk.

'Dank je, Norah.'

Ze glimlachte.

'Kom, we gaan naar de les,' zei ze.

Ik knikte en liep met haar mee. Toen we het lokaal inliepen, zochten mijn ogen naar Lily. Ze zat over haar boeken heen gebogen. Ik ging achterin naast Arthur zitten.

'En?' vroeg hij.

'Ze gaat niet met me mee,' antwoordde ik.

'Wat?' vroeg hij verbaasd.

Ik haalde mijn schouders op.

'Het lijkt erop alsof je het niet erg vindt,' zei Arthur.

'Vind ik ook niet.'

'Dus je gaat gewoon met Jenniffer?'

'Dat weet ik nog niet.'

Ik nam de rest van de week om daarachter te komen. Elke dag doorstond ik Jenniffer's klefheid en elke dag keek ik hoe Lily onder de grote eik ging zitten.

Elke dag praatte ik met mijn vrienden over onbelangrijke en onbenullige dingen en elke keer als ik dieper op een onderwerp in wilde gaan, staarde iedereen me aan alsof ik mijn verstand had verloren. Elke dag ondervond ik meer en meer hoe oppervlakkig mijn vriendschappen waren: gebaseerd op alleen mijn populariteit. Alleen Arthur was een uitzondering, maar we hadden de laatste tijd veel ruzie. Ongeacht wat hij zei, ik wist dat hij verliefd was op Lily. Mijn relatie met Jenniffer was amper een relatie te noemen. Zij wilde alleen maar zoenen en ik hield haar uit mijn buurt zo vaak ik kon. Ik kon mezelf niet zijn en hield elke dag de schijn op, en dat was doodvermoeiend. Ik snapte niet hoe ik dat al die jaren voor elkaar had gekregen.

Aan het eind van de week had ik een beslissing genomen. Jenniffer overtuigde me door weer over het bal te beginnen: 'Carter, als jij nou een wit pak aantrekt met een lichtblauw accent – bijvoorbeeld je stropdas of je overhemd – dan doe ik een lichtblauwe jurk aan. Staat ook nog eens prachtig bij je ogen!'

Ik staarde haar een moment aan en zei: 'Jenniffer, ik ga niet met je naar het bal.'

Ik hoorde Arthur naar adem happen. Niet alleen Arthur, ook de rest.

'Pardon?' Jenniffer keek me met grote ogen aan.

'Het spijt me, Jen, maar het gaat gewoon niet werken tussen ons. Het spijt me echt dat ik je weer valse hoop heb gegeven.'

De klap die ik kreeg was natuurlijk onvermijdelijk geweest.

'Wat is jouw probleem toch, Carter?' krijste ze.

Mijn probleem? Mijn probleem was heel simpel. Ik was verliefd op Lily Jones.

14. Niet vandaag en ook niet morgen

'Blijf zo zitten, niet bewegen.'
Lily opende haar ogen geschokt.
'Carter,' bracht ze uit.
Ik glimlachte.
'Leg je hoofd eens terug tegen de stam,' gebood ik.
Ze keek me verbaasd aan, maar gehoorzaamde.
'En je hand waar je hem net had. Ja, daar. Nu niet bewegen.'
Ik pakte een van haar boeken en legde mijn papier erop. Ik beet op de achterkant van mijn potlood en begon te tekenen. Voor elke lijn die ik zette, moest ik naar mijn voorbeeld kijken. Elke streepje moest perfect zijn. Lily zweeg de hele tijd en dat was een verlichting na twee weken met Jenniffer opgescheept te hebben gezeten. Ze zat doodstil, bewoog geen millimeter van haar plaats. Door de brandende zon en van de concentratie stonden de zweetdruppeltjes op mijn gezicht.
'Carter,' fluisterde ze toen ik op de helft van de tekening was, 'het spijt me.'
Ik glimlachte naar haar.
'Dat weet ik toch.'
Ze glimlachte.
'Blijf nog even zitten,' moedigde ik haar aan.
Ik zette de strepen van de boom waar ze tegenaan leunde, ik tekende haar perfecte lippen, haar grote ogen, haar rechte neus, haar golvende haar. Ik boog over mijn tekening en keek tevreden naar het resultaat.
'Mag ik bewegen?' vroeg ze.
Ik knikte. Ze rekte haar ledematen uit en kroop naar me toe.
'Dat ben ik,' zei ze verbaasd.
Ik lachte. Ik lachte en ik kon niet stoppen. Wat had ik haar gemist. Haar geur, haar aanwezigheid. Haar domme, domme opmerkingen. Ik trok haar tegen me aan en hield haar stevig vast. Ze sloeg haar armen om me heen.
'Het spijt me echt, Carter. Ik kon er niets aan doen.'
Ik schudde mijn hoofd.
'Het is al goed,' zei ik en het was goed. Haar kon ik de onvergefelijke zonde vergeven.
'Ik zou willen dat ik je alles kon vertellen,' zei ze.
'Je kan me alles vertellen.'

Ze schudde haar hoofd.

'Niet vandaag,' zei ze.

'En ook niet morgen?' nam ik weer eens aan.

Ze glimlachte.

'Waarom heb je me getekend?' vroeg ze.

'Zodat ik naar je kan kijken als ik weer eens besluit dat ik je niet meer wil zien.'

'Ik heb je gemist,' zei ze als antwoord.

'Ik jou niet, maar ik moet toch met iemand naar het bal,' grijnsde ik.

Ik kreeg een stomp.

'Au! Grapje!'

'Dat weet ik toch!' glimlachte ze.

Ik knuffelde haar. Ik voelde me zo opgelucht.

'Carter, ik krijg geen lucht.'

'Sorry! Ik begin op Jenniffer te lijken,' grijnsde ik.

Haar gezicht betrok.

'Wat?'

'Ik weet het niet,' zei ze. 'Ik vond het niet leuk jou en Jenniffer weer zo te zien.'

'Als het helpt: ik heb er ook niet heel veel plezier aan beleefd.'

'Ik voelde me erg alleen zonder jou,' bekende ze.

'Ik ook erg zonder jou.'

'Hoezo? Jij bent nooit alleen. Jij wordt altijd wel door iemand omgeven,' zei ze.

'Geloof me, op die momenten voel ik me het eenzaamst,' antwoordde ik.

Ze schudde haar hoofd ongelovig en glimlachte.

'Hoe gaat het met Tyler?' vroeg ze wat beschaamd.

'Het gaat goed, maak je geen zorgen.'

'Ga je niet vragen waarom ik het heb gedaan?' vroeg ze.

'Zou ik antwoord krijgen dan?'

'Nee, maar sinds wanneer weerhoudt dat jou van het stellen van vragen?'

'Oké dan. Hoe komt het dat je steeds van die vreemde aanvallen krijgt?'

'Dat mag ik niet zeggen.'

Ik hief mijn handen op.

'Zie je wel, wat heeft het voor zin?' vroeg ik.

'Dat komt omdat je de verkeerde vragen stelt!' zei ze ongeduldig.

Ik begreep wat ze probeerde te doen. Ze mocht mij niet vertellen wat ze was, dus moest ik het raden.

'Waarom viel je mijn broertje aan?'

'Omdat ik honger had.'

'Wat?' vroeg ik geschokt.

Ze keek weer beschaamd naar de grond.

'Ik begrijp het niet,' zei ik.

'Laat maar,' zuchtte ze. 'Het is hopeloos.'

Ik greep haar bij haar schouders.

'Waarom vertel je me het niet gewoon, Lily? Vertel me wat je bent,' drong ik aan.

'Nu ben ik een mens.' Ze keek me doordringend aan met haar grote, groene ogen.

'Maar dat ben je niet altijd geweest?' vroeg ik achterdochtig.

Dit gesprek werd met de minuut belachelijker.

'Vraag me dat soort dingen niet, Carter, vraag het me niet. Ik kan die vragen niet beantwoorden.'

'Waarom niet?'

Ze sloot haar ogen en schudde haar hoofd.

'Lily, waarom niet?'

Ze opende haar ogen langzaam.

'Arthur heeft me mee gevraagd naar het bal.'

Ik wist dat ze me dit alleen maar vertelde om me af te leiden. Alles in me schreeuwde om er niet aan toe te geven. Ik was zo dicht bij het antwoord, maar natuurlijk lukte het me niet.

'Hij heeft wat?' vroeg ik met opeengeklemde kaken.

Lily ontspande bij het overstappen van onderwerp.

'Hij heeft me meegevraagd naar het bal.'

'Wanneer?' vroeg ik.

'Een paar dagen geleden.'

Wat een ontzettende verrader had ik als vriend. Hij wist het, hij wist wat ik voor Lily voelde en alsnog, alsnog heeft hij geprobeerd haar voor zich te winnen.

'Wat heb je gezegd?' vroeg ik, terwijl ik kalm probeerde te blijven.

'Dat ik met jou ging.'

Ik keek haar verbaasd aan.

'Toen zei hij dat jij met Jenniffer ging.'

'En wat zei jij?'

'Dat als ik niet met jou naar het bal kon, ik dan niet zou gaan.'

Ik voelde de woede langzaam uit me wegvloeien.

'Had je dat echt gedaan?' vroeg ik.

'Wat?'

'Thuisblijven als ik met Jenniffer was gegaan.'

'Ja, dan was ik thuisgebleven.'

Ik voelde het schaamrood op mijn kaken staan. Ik had al mijn energie erin gestoken om alles weer te laten zijn zoals het vroeger was, toen Lily er nog niet was. En toen ik had besloten dat ik niet met Jenniffer naar het bal wilde, had ik tevergeefs naar iemand anders gezocht die ik wel uit kon staan. Zoiets was niet eens bij Lily opgekomen, om met iemand anders te gaan dan met mij. Dat liet weer eens zien dat mijn oude zelf er nog steeds was. Misschien bracht ik daarom ook zoveel tijd met Lily door, ze maakte me een beter persoon. Ik keek naar haar armen die zichtbaar waren omdat ze een shirt droeg met korte mouwen.

'Hoe kom je aan die littekens?' vroeg ik.

Ze keek naar haar arm.

'Deze twee zijn van het glas uit jullie salontafel.' Ze wees op een litteken op haar onderarm en eentje net boven haar elleboog.

Ze zagen er - vergeleken met de anderen - inderdaad redelijk vers uit.

'En de rest?' vroeg ik.

Ze keek me aan.

'Laat me raden, je kunt het me niet vertellen?'

Ze keek me verontschuldigend aan. Ik strekte mijn hand uit.

'Mag ik?'

Ze knikte.

Ik ging met mijn hand over haar littekens. Zes waren het er in totaal. Twee van de salontafel, drie kriskras over haar bovenarm en een als een cirkel onder haar schouder. Het was een soort band en het leek meer op een afdruk dan een litteken. Op beide armen had ze kleine, blauwe plekken zitten.

'Wie heeft dit gedaan?'

'Gestoten,' zei ze droog.

'Zie ik er blond uit?'

'Niet echt, nee.'

'Lily!'

'Stop met vragen stellen, Carter!'

'Al goed, al goed.' Ik stak mijn handen verdedigend omhoog.

'Ik kom er wel achter,' zei ik na een korte stilte.

'Ik zal alles doen om dat te voorkomen,' antwoordde ze.

'Ja, zou je dat doen?' Ik keek haar doordringend aan. 'Zou alles niet zoveel makkelijker zijn als ik het gewoon wist?'

'Heel veel makkelijker,' beaamde ze, 'maar ook zoveel gevaarlijker.'

'Je maakt me gek,' zuchtte ik.

Toen de bel ging, stopte ik de tekening voorzichtig in mijn tas. Ik strekte mijn hand naar Lily uit. Ze pakte hem voorzichtig en glimlachte toen we zo naar onze les liepen.

'Hoi Carter. Hoi Lily.' Norah zwaaide en ik zwaaide met mijn vrije hand terug. Zelfs Lily zwaaide, dat was meer contact dan ik haar ooit met iemand had zien hebben.

'Dank je,' vormden mijn lippen naar Norah.

'Graag gedaan,' vormden haar lippen glimlachend terug.

'Ze is aardig,' merkte Lily op.

'Ja, heel aardig.' Ik glimlachte en sloeg mijn arm om haar heen.

'Heb je al een jurk voor het bal?' vroeg ik.

Ze schudde haar hoofd.

'Ik heb geen idee waar ik die moet halen,' fluisterde ze me vertrouwelijk toe.

'Ik ook niet,' gaf ik grijnzend toe, terwijl ik naast haar vooraan ging zitten.

Het was alsof ik nooit twee weken zonder haar was geweest.

'Ik denk dat ik het maar eens aan mijn ouders moet vragen.'

'Hm,' stootte ik bedenkelijk uit.

'Wat?' vroeg ze.

'Is je vader de man die je altijd naar school brengt?' vroeg ik.

'Ja,' zei ze wat onwillig.

'En je moeder?' vroeg ik voorzichtig, herinnerend dat ze had verteld dat ze die niet had.

Toch praatte ze altijd over haar 'ouders'.

'En dan beschuldig je mij dat ik soms te veel vraag!' zei ze bedrukt.

'De blonde vrouw op je eerste schooldag?'

'Ja,' zuchtte ze.

'Je lijkt helemaal niet op je ouders,' mompelde ik.

'Ik vraag me af hoe dat toch komt?' vroeg ze sarcastisch.

Ik keek haar aan. Lily vertelde me nu indirect dat de mensen die ze haar ouders noemde, haar ouders niet waren.

'Ben je gelukkig?' vroeg ik.

Ze keek me aan.

'Gelukkig,' mompelde ze. 'Geluk is een veelzijdig concept,' antwoordde ze.

'Een erg politiek correct antwoord, mevrouw, maar niet precies wat ik vroeg.'

'Ik was gelukkig, maar dat is lang geleden.'

'En vandaag de dag?'

'Ik ben soms gelukkig, zoals nu.' Ze glimlachte en pakte mijn hand onder de tafel en kneep er zachtjes in.

Arthur passeerde onze tafel. Hij negeerde me en ik hem. Ik denk dat dat beter was voor ons allebei. Als hij me aangekeken zou hebben, had ik misschien iets gedaan waar ik later spijt van zou hebben gekregen.

Ashley en Jenniffer volgden. Jenniffer's ogen schoten naar Lily. Ik keek Jenniffer waarschuwend aan. Een waarschuwing die ze ter harte nam.

'Lily?' vroeg ik.

'Ja?'

'Die dag bij het strand zei je dat als mensen je vragen waar je vandaan komt, dat je dan vertelt dat je een uitwisselingsstudent uit Denemarken bent.'

'Ja.' Ze keek me vragend aan.

'Betekent dit dat je na dit jaar weer terug gaat naar "Denemarken"?' vroeg ik.

'Dat weet ik niet, Carter.' Ze keek naar haar tafeltje.

'Wat zei je vader toen hij die krassen op jouw en Tyler's gezicht zag?' vroeg ze om van onderwerp te veranderen.

'Hij heeft het nog niet gezien,' zei ik.

'Hoe komt dat?' vroeg ze.

'We zorgen dat we op bed liggen voordat hij thuiskomt. Hij heeft ook niet gemerkt dat de salontafel weg is. Hij heeft er in ieder geval geen briefje of voicemail over achtergelaten.'

'Dan heb jij je vader meer dan twee weken niet gezien,' constateerde Lily afkeurend.

'Geloof me, dat is nog niets.'

'Wat zeiden jouw ouders toen je met glasscherven in je arm thuiskwam?'

'Ik probeerde eerst terug naar school te komen, maar dat lukte niet. Het was te ver. Toen heb ik gebeld. Toen ik op de straat stond te wachten, kwam er een vrouw naar me toe en ze stond erop om een ambulance te bellen. Gelukkig werd ik opgehaald voordat ze dat kon doen.'

'Het spijt me dat ik je zo de straat op heb gezet,' zei ik.

'Dat geeft niet, ik had het verdiend.'

'Maar wat zeiden je ouders?'

'Ze vroegen wat er was gebeurd.'

'En?' vroeg ik.

'Ik vertelde hen dat ik je broertje had gebeten.'

'Hoe reageerden ze daarop?' vroeg ik toen ze niet verder ging.

'Ze gaven me te eten,' antwoordde ze alsof het allemaal heel logisch was.

Ik schudde verward mijn hoofd.

'Ik leg de link niet,' antwoordde ik.

'Misschien zal je het ooit begrijpen,' zei ze.

'Maar niet vandaag,' zuchtte ik.

'En ook niet morgen!' vulde ze vrolijk aan.

15. Wij tegen de wereld

Thuis zette ik de tekening die ik van Lily had gemaakt op mijn kamer. 'Ze is heel erg mooi,' was Tyler's reactie erop.

Hij had geen commentaar gehad op het feit dat ik weer met Lily optrok, en daar was ik hem erg dankbaar voor. Lily en ik waren weer een concept. We liepen samen naar de lessen, brachten de pauzes samen door. We praatten samen, we lachten samen. Dat wilde zeggen, ik lachte, Lily glimlachte. Ik liet mijn vrienden weer links liggen, maar ik miste ze niet. Ik was te kwaad op Arthur om hem te missen en de rest... ach, de rest, dat waren meer fans dan vrienden.

Er was slechts één ding dat me nog van mijn roze wolk kon laten vallen. De man die zich mijn vader noemde. Natuurlijk was het onmogelijk om onze gezichten nog veel langer voor hem verborgen te houden. Er hadden zich weliswaar korsten op gevormd, maar we zagen er nog steeds niet uit. Ik hoopte dat mijn vader zo weinig interesse in ons had, dat hij het misschien niet eens zou opmerken. Tenslotte had hij de strepen in mijn nek ook niet opgemerkt. Het werd al snel duidelijk dat Lily's krassen niet diep genoeg waren om littekens achter te laten, zolang we ze maar niet openkrabden. Dit luchtte Tyler enorm op en hij was zelfs in staat er grapjes over te maken. Toch kwam het moment dichterbij dat onze vader eerder thuis zou komen en ons zou zien. Tyler en ik waren dan ook druk bezig een goede smoes te bedenken om de krassen op onze gezichten te verklaren. Uiteindelijk waren we erover uit: straatkatten, aangezien we zelf geen katten hadden.

De avond brak aan dat mijn vader eerder thuiskwam. Hij had het ongetwijfeld zo lang uitgesteld vanwege de laatste ruzie.

'Tyler? Carter?'

Ik wilde net een hap van mijn pizza nemen toen ik zijn stem in de gang hoorde. Zijn stem en nog iets. Geklik. Geklik van vrouwenschoenen.

'Wacht hier even,' hoorde ik mijn vader zeggen.

'Dit kun je niet menen!' Ik smeet mijn pizza op mijn bord en sprong op.

Tyler keek me geschokt aan.

'Carter!' siste hij waarschuwend.

Ik liep mijn vader woedend tegemoet. Hij schrok even toen we elkaar in de deuropening tegen het lijf liepen.

'Hallo jongen,' zei hij.

Ik keek langs hem heen en zag Cecile staan.

'Wat doet zij hier?' sneerde ik.

'Carter, rustig. Ze komt hier eten. Ik wil graag dat jullie haar wat beter leren kennen,' probeerde mijn vader me te sussen.

'Je weet welke belofte ik haar de vorige keer heb gemaakt en ik hou me altijd aan mijn beloftes!'

'Dat doe je niet, jij houdt je nooit ergens aan.'

Daar had de oude heer een punt.

'Carter, kunnen we alsjeblieft gewoon dineren? Als een gezin.'

'Zij hoort niet bij dit gezin!'

'Maar ik wil graag dat ze zich thuis voelt in de onze,' legde hij zo kalm mogelijk uit, vastberaden de goede vrede te bewaren.

'Succes daarmee, ik voel me niet eens thuis in dit gezin!'

Mijn vader deed zijn mond open, maar hij sloot hem weer en keek me fronsend aan.

'Wat is er met je gezicht gebeurd?' vroeg hij.

Op dat moment kwam Tyler uit de keuken, perfecte timing.

'Wat is er met jullie gezicht gebeurd?' vroeg mijn vader geschokt.

'Straatkatten,' zeiden we allebei tegelijk.

'Straatkatten?'

'Straatkatten,' beaamden we onze eigen leugen.

'Heb jullie het wel goed schoon gemaakt? Moeten jullie niet naar een dokter, voordat jullie iets oplopen?'

Tyler verschool zijn grinnik achter een hoest.

'Ik ben ervan overtuigd dat deze straatkat redelijk schoon was.' Ik beet op mijn lip om niet te lachen.

'Goed dan, als jullie het zeggen. Waar waren we?'

'Cecile,' herinnerde ik hem.

'Ik wil dat jullie je gedragen,' zei mijn vader streng.

'Ze mag mijn pizza hebben,' antwoordde ik.

Tyler gaf me een por.

'We zullen ons gedragen, pap,' zei hij.

'Jij bent niet degene waar ik me zorgen over maak, Tyler.' Hij keek me scherp aan en liep de gang op om Cecile te halen.

'Hoi jongens,' glimlachte ze vriendelijk.

'Hoi Cecile,' zei Tyler beleefd.

Ik bleef haar zwijgend aankijken.

'Goed,' zei mijn vader. 'Tyler, neem jij Cecile mee naar de woonkamer, dan zal ik iets eetbaars klaarmaken.'

'Hoe? Je kookt voor geen meter,' zei ik.

Tyler sloot zijn ogen.

'Dat komt goed uit, want ik kan geweldig koken,' zei Cecile vrolijk, in een poging de sfeer goed te houden.

'Waarom maken jij en ik niet iets klaar?' Ze keek mijn vader aan.

'Een uitstekend idee!' zei mijn vader.

'Als jullie de tafel willen dekken, jongens.'

'Ik heb al gegeten,' zei ik chagrijnig.

'Maar ik weet zeker dat je weer honger krijgt als je onze kookkunsten ruikt,' zei mijn vader waarschuwend en verdween met Cecile de keuken in.

'Dat ging redelijk,' zei Tyler opgelucht.

Ik bromde wat. Ik wist niet of ik blij moest zijn dat Cecile's aanwezigheid had voorkomen dat mijn vader meer vragen zou stellen over de krassen op ons gezicht, of woedend omdat hun relatie met de dag serieuzer leek te worden. Waarschijnlijk het laatste.

'Carter, kun je jezelf een beetje beheersen? Ik vind het ook niet leuk, maar als pap gelukkig is...'

'Geluk is een veelzijdig concept,' herhaalde ik Lily's woorden knarsetandend.

'Ik weet zeker dat je niet eens weet wat dat betekent,' merkte Tyler op.

'Maakt het pap uit of we gelukkig zijn of niet? Nee, het scheelt hem helemaal niets! Waarom zouden wij ons dan wel druk moeten maken om zijn geluk? Iets dat ons geluk ook nog eens verstoort?'

'Kun je het niet gewoon een avond proberen? Zie het als een soort uitdaging. Een avond niet alles zeggen wat je denkt of vindt en een avond gewoon vriendelijk zijn, zowel tegen pap als tegen Cecile,' stelde Tyler voor.

'Doe het voor mij,' zei hij toen ik niet reageerde.

Ik zuchtte.

'Goed dan. Ik *probeer* het, ik beloof niks!' bromde ik.

Tyler glimlachte.

'Super!'

Ik kon dat gezichtje niet teleurstellen. Niet mijn broertje die nog steeds meer jongen was dan man.

Ik probeerde het echt. Ik probeerde me niet op te winden toen ik gelach en gegiechel uit de keuken hoorde. Ik probeerde mezelf rustig te houden toen mijn vader ons nogmaals de opdracht gaf om de tafel te dekken en ik probeerde niet gek te worden toen de geuren die opstegen uit de pannen die op tafel werden gezet heerlijk roken. Mijn vader ging zitten en ook Cecile nam plaats.

'Daar zat mam altijd,' merkte ik scherp op toen ze op de verboden stoel wilde plaatsnemen.

Er viel even een ongemakkelijke stilte.

'Cecile,' zei mijn vader toen ze opstond.

'Nee, het is oké,' glimlachte ze en ging aan de overkant zitten.

Mijn vader keek me – over de pannen heen – waarschuwend aan.

'Wat eten we?' vroeg Tyler om de stilte te vullen.

'Het ruikt heerlijk,' voegde hij eraan toe.

'Dank je, lieverd,' glimlachte Cecile.

Lieverd? Gingen we nu al koosnaampjes gebruiken? Ik dacht dat ik moest kotsen. Mijn vader haalde de deksel van de pan.

'Spaghetti bolognese!' zei mijn vader vrolijk.

Tyler's glimlach verdween en ik wist dat hij precies aan hetzelfde dacht als ik. Hier lag de grens van het proberen mijn gedachten voor mezelf te houden.

'Mam was daar allergisch voor,' zei ik.

Ook Cecile's glimlach verdween nu.

'Daarom kunnen we het nu een keer eten,' antwoordde mijn vader met zijn strenge blik op mij gericht.

'Pap!' Ik was blij dat Tyler hem een keer berispte in plaats van dat ik dat deed. Ik stond op van mijn plaats.

'Carter, ga zitten,' gebood mijn vader in opbouwende woede.

'Nee, pap, ik ga niet zitten. Jij kan hier misschien zitten en net doen alsof alles allemaal goed is, maar ik kan dat niet. Jij neemt hier dat mens,' ik gebaarde naar Cecile, 'zomaar van de ene dag op de andere mee en verwacht dat wij dat allemaal maar goed vinden en dat wij ons als twee engeltjes gedragen, zodat zij zich hier thuis voelt!' Ik smeet de pannen in mijn woede op de grond.

'Carter!' brulde mijn vader en sloeg met zijn handen op de tafel, terwijl hij dreigend uit zijn stoel rees.

Cecile verborg haar gezicht in haar handen en Tyler deed precies hetzelfde.

'Jij vindt het misschien best om mam meteen te vervangen, maar ik niet! Ik niet, hoor je?' schreeuwde ik.

'Je moeder is al vijf jaar dood, Carter, vijf jaar! Het is tijd om door te gaan!'

'Voor jou is het misschien vijf jaar, maar voor mijn gevoel is het sinds gisteren. Jij kan haar blijkbaar meteen vergeten, maar anderen hebben daar wellicht meer tijd voor nodig!'

'Denk je dat ik je moeder vergeten ben? Denk je dat ik haar niet mis?' schreeuwde mijn vader terug.

'Hou op, hou op, hou op!' brulde Tyler.

Hij stond nu ook op. Mijn vader en ik keken hem verbaasd aan. Tyler mengde zich anders nooit in een ruzie. Hij gaf zijn reactie altijd alleen aan mij nadat het afgelopen was.

'Jullie gedragen je als twee kleine kinderen! Waarom kunnen jullie nou nooit in dezelfde kamer zijn zonder dat alles meteen in een hel verandert!'

Ik knipte in mijn vingers en wees naar Tyler.

'Zie je? Dat is wat ik bedoel! Waarom is Tyler hier de ouder in plaats van jij?' riep ik tegen mijn vader.

'Hoe kan iemand een ouder voor jou zijn? Heb je wel eens gemerkt hoe jij je gedraagt?'

'Denk je niet dat je me een beetje te weinig ziet om te beoordelen hoe ik me gedraag?' vroeg ik.

'Patrick!' Mijn vader keek naar Cecile, die opstond en zei: 'Patrick, het is duidelijk dat je zoons nog niet klaar zijn voor een nieuwe vrouw hier in huis. Misschien is het beter dit niet langer door te zetten.'

'Dat is het verstandigste wat ik je tot nu toe heb horen zeggen, Cecile,' zei ik tegen haar.

'Carter, je hebt er alle reden voor om het niet leuk te vinden dat ik in je huis ben, maar je hebt geen enkel recht om mij als persoon aan te vallen. Wat voor een onverwerkt verleden je ook hebt, dat regel je met je vader, niet met mij. Het enige wat ik kan doen, is jullie daar de ruimte voor geven en dat doe ik ook, maar om je woede af te reageren op mij, daar wordt niemand beter van.'

Haar stem was vol autoriteit en ik was volledig van mijn stuk gebracht. Ik kon niets antwoorden, geen stekelige opmerking verzinnen, wetend dat ze gelijk had. Ik was al een lange tijd niet meer zo toegesproken, de laatste keer was... vijf jaar geleden. Ik wilde haar zo mogelijk nog sneller het huis uit hebben.

'Tot ziens, Patrick.' Ze pakte haar jas en liep de keuken uit.

'Cil, wacht!' Mijn vader rende achter haar aan.

'Wij zijn nog niet klaar, Carter!' riep hij over zijn schouder.

'Vreemd dat altijd wanneer je dat zegt, we wel klaar zijn!'

Hij was al weg. Achter 'Cil' aan. Tyler stond met zijn armen over elkaar toen ik me omdraaide.

'Oh, kom op, ik had zo gelijk!'

'Over wat precies? Altijd als je ruzie met pap hebt, beschuldig je hem van drie dingen door elkaar.'

'Ik wil geen nieuwe moeder,' antwoordde ik.

'Dat probeert ze ook niet te zijn. Ze lijkt me heel aardig en misschien brengt ze pap weer een beetje tot leven. Waarom geef je haar niet gewoon een kans?'

'Dus nu sta jij aan haar kant?' vroeg ik geprikkeld.

'Er zijn geen kanten, Carter. Mam komt niet meer terug. Er is nog steeds een kans dat pap weer levend wordt. En ik wil die kans met beide handen aangrijpen,' zei Tyler dringend.

Ik zuchtte.

'Weet je,' zei ik en knipperde met mijn ogen tegen de tranen, 'ik mis mam heel erg.'

Tyler's blik verzachtte en hij sloeg zijn armen om me heen.

'Ik ook, maar ik mis pap net zo goed.'

Ik hield mijn kleine broertje vast, beseffend dat de rollen eigenlijk omgedraaid zouden moeten zijn. Ik zou hém moeten troosten.

'Vraag jij je ook wel eens af hoe ons leven eruit zou hebben gezien als mam niet was overleden?' vroeg ik kleintjes.

'Ja, constant. Ik vraag me altijd af wat mam gedaan zou hebben in een bepaalde situatie. Met welke woorden ze een ruzie in een grap zou veranderen,' antwoordde hij.

'Denk je dat ze ons kan zien, waar ze nu is?' vroeg ik.

'Dat hoop ik niet,' fluisterde Tyler.

'Waarom niet?'

'Ik denk dat ze erg ongelukkig zou zijn als ze ons zo zag.'

Ik zuchtte. Hij had gelijk.

'Ik kan Cecile geen kans geven, Tyler, dan heb ik het gevoel dat ik mam verraad.'

'Je hoeft Cecile ook niet als een vervanger van mam te zien, meer als een opvolger.'

Ik wilde ook geen opvolger van mam.

'En wie weet, misschien is pap haar na twee weken wel zat,' voegde Tyler eraan toe.

Ik lachte.

'Voor een veertienjarige ben je erg bijdehand.'

'Dat kan ook niet anders, met jou als broer.'

Ik rolde met mijn ogen.

'Kom, we gaan die spaghetti opruimen, die je op de grond hebt gegooid. Had je niet gewoon schoon ruzie kunnen maken?'

'Ik dacht dat het bij zou dragen aan het dramatische effect,' antwoordde ik droog.

Tyler lachte.

'Alsof jij dat nodig hebt, het is soms meer alsof ik een zus heb.'

'Er zijn grenzen, Ty!' zei ik dreigend.

Hij grijnsde.

'Heb je al een date voor het bal?' vroeg ik toen we de keuken aan het opruimen waren.

Hij werd eigenaardig stil.

'Wat?' vroeg ik achterdochtig.

'Ja,' zei hij.

'Goed zo! Met wie?'

'Jenniffer Green.'

'Het spijt me, wat zei je?' vroeg ik.

'Jenniffer. Jenniffer heeft me gevraagd.'

Dacht Jenniffer me zo jaloers te kunnen maken? Door mijn broertje mee te nemen? Jaloers niet, kwaad wel.

'En jij hebt ja gezegd?'

'Niemand had me nog gevraagd en het is al over een week.'

Tyler keek me onschuldig aan.

'Vind je het erg?' vroeg hij.

'Nee, ik vind het niet erg,' zuchtte ik.

'Ik vind alleen dat je wel iets beters kan krijgen en ik betwijfel of je erg veel plezier aan haar gaat beleven.'

Tyler haalde zijn schouders op.

'Ik zit nog niet in mijn laatste jaar, Carter. Ik kan alleen gaan als iemand anders me meeneemt, en nu kan ik gaan.'

'Ja, maar met Jenniffer. Is er niemand die je op het oog hebt?' vroeg ik.

Hij schudde zijn hoofd en ik geloofde hem.

'Te druk met school zeker?'

Hij knikte beschaamd.

'En denk je dat een avond met Jenniffer je helpt te ontspannen?'

'Nee, maar ik zei toch al: ik ben door niemand anders gevraagd!'

'Vraag jij dan iemand!'

'Wie dan?' vroeg hij ongeduldig.

Ik dacht even na.

'Norah, vraag Norah,' zei ik toen.

'Norah?'

'Ja, Norah.'

'Maar Norah is zoveel ouder dan ik ben,' klaagde hij.

'En Jenniffer niet dan?'

'Jawel, maar die gedraagt zich daar niet naar,' was zijn antwoord.

'Zou je niet liever met iemand optrekken die meer hersens heeft?'

'Ik weet het niet hoor,' zei Tyler.

'Zal ik het vragen?' vroeg ik.

'Nee, dat is stom,' was Tyler's reactie.

'Vraag haar dan gewoon. Gun jezelf wat lol.'

'Maar ik ken Norah amper.'

'Ik weet zeker dat jullie het goed met elkaar kunnen vinden. Als vrienden natuurlijk, want je hebt gelijk: ze is te oud voor je,' grijnsde ik.

Tyler leek het te overwegen.

'Hoe weet je dat ze nog niet gevraagd is?'

'Dat mag je zelf uitzoeken, mijn vriend.'

'Fijn, Carter.'

'Dus je gaat haar vragen?'

'Misschien. Ik moet zeggen dat ik me sowieso meer verheug op een avondje met iemand anders dan met Jenniffer.'

'Het is jouw keuze,' knipoogde ik.

Ik zou me eigenlijk schuldig moeten voelen over het feit dat Jenniffer voor de zoveelste keer door mijn schuld afgewezen zou worden, maar ze kwam er wel overheen.

'En jij gaat met Lily?' vroeg Tyler, terwijl hij de afgeschraapte spaghetti weggooide.

Lily. Zodra die naam viel, maakte mijn hart een sprongetje.

'Ja,' antwoordde ik.

'Weet ze het?' vroeg hij.

'Weet ze wat?'

'Wat jij voor haar voelt.'

Ik bromde wat.

'Je vindt het niet erg,' merkte ik op.

'Wat niet?' vroeg hij.

'Dat ik weer met Lily omga, ook al heeft ze je gezicht vernield.'

Tyler stootte een lach uit.

'Natuurlijk niet.'

'Waarom niet?' vroeg ik nieuwsgierig.

'Waarom ben jij niet boos dat ik met Jenniffer naar het schoolfeest ga of zou gaan?'

Ik glimlachte.

'Omdat ze me niets kan schelen.'

'Precies,' zei Tyler.

Ik fronste. Ik wilde niet graag horen dat Lily iemand niets kon schelen.

'Begrijp me niet verkeerd. Het is niet zo dat ik haar niet aardig zou kunnen vinden. Tenslotte blijven deze strepen niet voor eeuwig op mijn gezicht. Het punt is dat jij haar mag en wie ben ik dan om dat tegen te gaan?'

'Hoe kom je toch zo onzelfzuchtig?' vroeg ik met lichte bewondering.

'Onzelfzuchtig? Jij bent degene die het uit moet houden met iemand die je openkrabt zodra ze haar humeur verliest,' grijnsde Tyler.

Ik grinnikte.

'De waarheid is, ik zie dat ze je goed doet. Kun je het geloven dat je nog erger was voordat je haar ontmoette?'

Ik schudde mijn hoofd ongelovig.

'Wat?' vroeg Tyler.

'Ik geloof dat mam een stukje van haar in jou heeft achtergelaten.'

Tyler lachte verlegen.

'Geloof me, jij hebt ook meer dan genoeg eigenschappen van haar.'

'Niet de goeie.'

'Mam had geen slechte eigenschappen,' was zijn antwoord.

'Misschien niet, misschien gebruik ik ze gewoon verkeerd,' zei ik.

'Dat alles zeggen wat je denkt, daar zou je wellicht aan kunnen werken,' grijnsde hij.

Ik lachte.

'Als ik jou niet had, Ty, zou ik gek worden.'

'Die dag komt nog wel,' knipoogde hij.

'Heb je al geschilderd?' vroeg ik.

'Nog niet,' zei hij.

'Waarom niet? Ik heb die dingen niet voor je gekocht om in je kamer te laten staan.'

'Ik weet nog niet wat ik wil schilderen, maar zodra ik het zie, dan weet ik het.'

'We waren gelukkig vroeger, hè? Met zijn vieren,' merkte Tyler op.

Ik knikte.

'Nu zijn alleen wij twee nog over. Wij twee tegen de wereld.'

'Wij twee tegen de wereld,' herhaalde hij.

16. Ware vrienden

'Ik heb een jurk!' vertelde Lily me die morgen.

Ze leek er niet echt naar uit te kijken om hem aan te moeten doen, maar over het feit dat ze er een had, was ze blij. De spanning van het bal zat in de lucht die week. Mensen die geen date hadden, begonnen zenuwachtig te worden omdat ze nog maar een paar dagen de tijd hadden. Het leek het enige gespreksonderwerp te zijn. Ik herinnerde me dat ik zelf ook nog een pak moest hebben. Ik nam mezelf voor om het samen met Arthur te gaan halen, misschien kon ik hem er dan zelfs nog even tactisch op wijzen hoe hij een mes in mijn rug had gestoken door Lily mee te vragen naar het bal.

'Ik ben zo terug,' zei ik tegen Lily.

'Arthur!' Ik haalde hem halverwege de gang in.

Hij draaide zich om.

'Wat? Praat je weer tegen me?' vroeg hij.

'Ik was druk.'

'Met Lily, ja,' mopperde hij.

'Inderdaad, maar gelukkig ben ik niet de enige die druk is met Lily.'

Hij keek me een moment aan, maar veronderstelde waarschijnlijk dat hij zich de beschuldigende toon in mijn stem verbeelde.

'Ik wilde vragen of je mee een pak ging kopen vanmiddag,' vroeg ik.

'Sorry, ik heb vanmiddag met Jason afgesproken.'

Het klonk niet alsof het hem speet.

'Dan kunnen we met zijn drieën een pak kopen,' stelde ik voor.

'Ik weet niet of Jason daar zin in heeft,' mompelde Arthur.

'Waarom niet?'

'Het is nu de tweede keer dat je Lily verkiest boven je vrienden, Carter, en dat wordt iedereen een beetje te veel,' antwoordde hij.

'Iedereen? Of alleen jou?' vroeg ik scherp.

'Waarom zou ik?' vroeg hij.

'Omdat je met Lily naar het bal wilde.'

Arthur keek me geschokt aan.

'Wat? Dacht je dat ze het me niet zou vertellen?' vroeg ik schamper.

'Wat kan jou het schelen, Carter, je hebt haar toch?'

'En Ashley dan?' vroeg ik.

'Ashley,' Arthur wuifde de naam ongeduldig weg. 'Dat is lang niet meer zo leuk sinds jij en Jenniffer uit elkaar zijn.'

'Waarom hou je het dan aan?' vroeg ik.

'Ik dump mensen niet vlak voor het bal, Carter!' viel hij uit.

'En anders zou je alleen moeten,' vulde ik aan.

Arthur zweeg.

'Waarom heb je me nooit verteld dat je er zoveel moeite mee hebt dat ik met Lily omga?' vroeg ik.

'Alsof het iets uit zou maken wanneer ik je het wel zou vertellen, je doet het toch,' zei hij.

'Zou jij haar laten gaan als ik het zou zeggen?' Ik keek hem doordringend aan.

'Het zou niet de eerste keer zijn dat ik zoiets doe,' snauwde Arthur.

'Ik heb je gevraagd wat je voor Lily voelde, en elke keer kreeg ik hetzelfde antwoord!' beet ik hem toe.

'Zoals ik al zei, alsof het jou ook maar iets kan schelen!'

'Hoe kom je erbij dat het me niets kan schelen?' vroeg ik verontwaardigd.

'Ik wist heus wel dat je iets vermoedde en toen al zag je groen van jaloezie, laat staan als ik het bevestigd had. Het kan je niet schelen hoe ik me voel, zolang jij er maar beter van wordt.'

'Arthur, ik ben al sinds de eerste je beste vriend!' bracht ik uit.

'Ja, en daarom weet ik als geen ander wat voor een egocentrisch persoon jij bent.'

Dat deed meer pijn dan ik verwacht had. Het was waar, dat wist ik, maar het was iets anders om het van je beste vriend te horen.

'We zouden toch nooit een meisje tussen ons in laten staan?' vroeg ik.

'Jij hebt makkelijk praten, aangezien jij het meisje hebt.'

'Sinds wanneer is deze Lily-obsessie begonnen?' vroeg ik.

'Weet je nog de laatste keer op het strand met Ashley en Jenniffer?' vroeg hij. Ik knikte.

'Toen praatte je over Lily alsof je een soort prijs had binnen gehaald en ik vond dat ze iets beters verdiende dan iemand die alleen maar aan zichzelf dacht.'

Ik staarde hem aan, dat was geweest toen ik had gedaan alsof ik met Lily naar het bal zou gaan. Alsof ze al ja had gezegd. Maar dat was in een compleet andere situatie! Toen dacht ik ook alleen maar aan mezelf, ging ik met Lily naar het bal omdat ik daar beter van zou worden. Nu leek niets daar beter van te worden, maar ik ging nog steeds, omdat ik het wilde! Ik wilde bij haar zijn.

'Dat is een tijd geleden, Arthur, dingen zijn anders nu,' zei ik.

'O ja? Ik zie niet in hoe.'

'Ik ben verliefd op haar, Arthur!' viel ik uit.

In zijn ogen stond te lezen dat hij me niet geloofde. Hij dacht dat dit gewoon weer mijn zoveelste scharrel was en wilde Lily daarvoor beschermen. Omdat hij alleen maar het beste voor haar wilde, kon ik ook niet kwaad op hem worden.

'Ja, nou, je bent niet de enige,' antwoordde Arthur en liep weg.

'Arthur!' riep ik hem na, maar hij reageerde niet.

Ik zuchtte. Waar was Lily? Waarschijnlijk naar buiten gegaan. Ik zag Jason en Frank verderop staan. Jason had met Arthur afgesproken, maar Frank kon nog altijd mee een pak kopen. Ik zwaaide. Ze zagen me zonder twijfel, maar zwaaiden niet terug en liepen weg. Mijn hand zakte naar beneden. Het leek erop dat mijn vriendschappen niet tegen erg veel bestand waren.

Ik had een raar gevoel in mijn maag. Ik had Lily nodig. Ze moest me laten weten dat ik niet de verkeerde keuze maakte door mijn 'vrienden' voor haar op te offeren. Ik vond haar bij haar kluisje. Met haar nog iemand anders: Arthur. Ze stonden gewoon te praten, maar de jaloersheid en pijn zwol in mijn borst en ik kon het niet opbrengen er lang naar te kijken. Ik draaide me om en liep naar buiten. Daar zakte ik zuchtend neer op een bankje, met de vreemde behoefte om te huilen. Maar die gedachte alleen al was zo belachelijk dat ik mezelf in wist te houden.

'Carter?'

Ik keek op.

'Hoi Norah.'

'Ik zag je naar buiten gaan en ik vroeg me af of alles goed gaat?'

Ik probeerde te glimlachen.

'Het gaat prima,' zei ik zo vriendelijk mogelijk.

Ik wilde Norah niet het slachtoffer laten worden van mijn humeur.

'Zo zie je er niet uit, weet je.'

Ze ging voorzichtig naast me zitten op het bankje. Ach, wat maakte het ook uit.

'Je hebt gelijk, ik heb me wel eens beter gevoeld,' zuchtte ik.

'Dat dacht ik al,' zei ze.

Ze keek me aan.

'Wil je erover praten?'

'Het ligt nogal gecompliceerd,' antwoordde ik.

'O,' zei ze alleen maar en toen was het stil.

We zeiden een tijd niets tegen elkaar. Toch was het fijn dat ze er was. Soms was het beter om even niet alleen te zijn. Haar aanwezigheid troostte me op een manier die woorden niet hadden kunnen doen. Alles wat ik in al mijn schooljaren had opgebouwd, viel uit elkaar. Alles wat een vlucht voor me was geweest van thuis, glipte langzaam weg uit mijn vingers. Ik was een moment onvoorzichtig geweest en meteen stortte alles in, en waarvoor? Ik wist waarvoor. Voor Lily, maar nu ik haar met Arthur had zien praten, leek dat het niet waard te zijn. Ik zag nu in dat populariteit een erg slechte basis is voor vriendschap. Ik had mijn vrienden ook niet echt als vrienden behandeld, meer als fans. Toch had ik gedacht dat ondanks alles Arthur altijd aan mijn zijde zou blijven. Dat zou hij misschien ook gedaan hebben als hij niet verliefd zou zijn geworden op Lily, mijn Lily. Ik kreunde. Norah klopte me troostend op mijn schouder.

'Misschien kan ik je helpen,' moedigde ze me aan om het te vertellen.

'Ik heb veel fouten gemaakt,' antwoordde ik.

'Dat is niet zo gecompliceerd,' zei ze.

'Geloof me, dat is het wel,' zuchtte ik.

'Kun je over iets anders praten?' vroeg ik. 'Om mijn gedachten af te leiden?'

Ze begon te lachen.

'Ja, dat kan ik,' riep ze uit en gaf me een speelse stomp.

'Au! Wat is er zo grappig?' vroeg ik.

'Je hebt je broertje overgehaald om met me naar het bal te gaan,' lachte ze.

'Hij heeft je gevraagd?' vroeg ik verbaasd.

'Ja! Erg dapper van hem, hij zag er zo zenuwachtig uit,' grinnikte ze.

'Wat heb je gezegd?' vroeg ik.

'Ja! Ik kon zo'n gezichtje toch niet teleurstellen,' zei ze vrolijk.

Ik glimlachte opgelucht. Blij dat Ty niet was afgewezen.

'Wacht eens even, je was nog niet gevraagd?' vroeg ik verbaasd.

'Jij stuurt je broertje op iemand af waarvan je denkt dat ze al gevraagd is?' vroeg Norah quasi geschokt.

'Nou ja, ik dacht gewoon dat jij... ik bedoel...' Ik gebaarde naar haar alsof de rest overduidelijk was.

Norah lachte weer.

'Dank je, maar in dat opzicht lijken Tyler en ik wel op elkaar. Ik ben alleen maar met school bezig. Ik ben een complete nerd,' lachte ze.

'Noem jij mijn broertje een nerd?' grijnsde ik.

'Nee, zo bedoelde ik het niet,' zei Norah meteen bezorgd.

'Geen zorgen, Noor,' wuifde ik haar excuus weg.

'Noor...' Ze rolde met haar ogen.

Ik keek haar aan. Ze zag er niet uit als een nerd: bruin haar, vrolijke, grijze ogen, een lach waar je u tegen zegt, maar ook erg onopvallend. Een normaal, hedendaags meisje.

'Hoe weet je eigenlijk dat ik Tyler op je heb afgestuurd?' vroeg ik.

'Dat heeft hij me verteld,' grijnsde ze. 'Nadat ik zijn aanbod had geaccepteerd, leek hij wat zelfverzekerder te zijn.'

'Waarom heb je hem eigenlijk op me afgestuurd?' vroeg ze.

'O, ik wilde niet dat hij met Jenniffer zou gaan,' antwoordde ik.

'Wat?' vroeg ze geschokt.

'Hij zou met Jenniffer gaan, maar hij zag daar nogal tegenop en hij wilde niet alleen gaan. Dus ik stelde jou voor.'

'Moet Jenniffer nu alleen door mij?' vroeg ze.

'Geen zorgen, die vindt wel iemand anders, we hebben het hier over Jenniffer,' zei ik.

'Vind je het erg?' vroeg ik toen ze niet antwoordde.

'Nee, maar als Jenniffer niemand anders vindt voel ik me wel schuldig,' zei ze.

'Dan moet jij je niet schuldig voelen, maar ik.'

Ze lachte weer.

'Maar aangezien jij je toch niet schuldig gaat voelen – ongeacht of ze nou wel of niet met iemand gaat – zal iemand anders het moeten doen!'

Was ik echt zo egoïstisch als iedereen scheen te denken?

'Heeft Casey al een date?' vroeg ik.

'Ik dacht er ook nog aan om Tyler aan haar te koppelen.'

Norah knikte, en zei: 'Ze gaat met Jason.'

Ik knikte langzaam.

'Het gaat niet goed tussen jou en... de rest, is dat wat je dwars zit?' vroeg ze.

En we waren weer terug bij het onderwerp van mijn ellende. Ik schudde mijn hoofd.

'Zoals ik al zei: ik heb veel fouten gemaakt.'

De bel ging.

'Norah, kom je?' gilde Casey van de overkant van het grasveldje.

Norah stond op.

'Er is niet altijd tijd om dingen goed te doen, maar er is altijd tijd om ze over te doen.' Ze glimlachte bemoedigend.

'Ik zie je in de les,' zei ze en liep weg.

'Norah!' riep ik.

Ze draaide zich om.

'Dank je.'

Ze glimlachte en liep door. Dankzij haar voelde ik me een stuk beter.

'Carter?'

Lily stapte naar me toe.

'Ik heb je overal gezocht.'

'Ja, ik zag jou met Arthur praten, dus ik dacht dat ik jullie maar beter even met rust kon laten,' zei ik bitter.

Lily fronste haar voorhoofd.

'Je lijkt verdrietig. Komt het door mij?' vroeg ze bijna kinderlijk.

Ik keek haar aan.

'Carter, sta ik nu bij Arthur?' vroeg ze.

'Nee.'

'Stop dan met dit idiote gedrag,' beet ze me toe.

'Wat maakt het jou uit?' snauwde ik.

Ze zuchtte en pakte mijn hand.

'Ik wil jou niet ongelukkig maken terwijl jij mij juist zo blij maakt,' zei ze.

Ik kon een glimlach niet onderdrukken. Ik had het verkeerd, ze was het dubbel en dwars waard.

17. Het bal

'Carter, waar is mijn das?' brulde Tyler.

'Weet is veel! Waar is mijn blouse?' brulde ik terug.

'Weet ik veel!' brulde hij op zijn beurt.

Zo stormden we de hele middag al door het huis. Aangezien geen van de jongens met mij een pak wilde kopen, was ik er een gaan halen met Tyler, op wie ik gelukkig altijd kon rekenen. We hadden het allebei vrij eenvoudig gehouden: een simpel zwart pak met een gekleurd accent. Tyler had een lichtblauwe das, een kleur die ik bewust vermeden had, aangezien ik vermoedde dat Jenniffer deze alsnog zou dragen, ook al ging ze niet met mij. Tyler stond het goed. Andere dingen die ik vermeden had, waren een stropdas en een vlinderstrik. Ik had een groene blouse, lichtgroen. Ik zal niet ontkennen dat ik die kleur had gekozen omdat die zo goed bij Lily's ogen paste. Het enige probleem was dat ik hem nu nergens kon vinden.

'Tyler, mijn blouse!' schreeuwde ik weer.

'Kijk in je tas, volgens mij heb je hem daar nog niet uitgehaald!'

Ik rende mijn kamer uit, greep Tyler's das die op de trapleuning lag en gooide hem zijn kamer in, die daar tegenover was.

'Daar is je das!' riep ik, terwijl ik naar beneden stuiterde.

'Bedankt!'

Ik haalde mijn blouse nog onaangeraakt uit de plastic tas en rende weer naar boven.

'Vergeet het kaartje er niet af te knippen!' riep Tyler waarschuwend.

Kaartje. Goeie! Ik onderdrukte de drang het kaartje er in mijn ongeduld uit te trekken, pakte een schaar en knipte het keurig af. Ik trok mijn blouse aan, die ik niet in mijn broek deed om het nog een beetje speels te houden en deed mijn blazer aan. Tanden gepoetst? Waarschijnlijk al drie keer, maar je kon het beter te vaak doen. Ik liep de badkamer in en bracht mijn haar nog even in model terwijl ik mijn tanden schrobde.

'Carter, we moeten gaan!' riep Tyler onderaan de trap.

'Ik spuugde de tandpasta uit.

'Hou je mond, anders mag je lopen!'

Ik veegde mijn mond af, wierp een laatste blik in de spiegel en rende naar beneden.

'We zijn laat,' bromde Tyler.

'Ik ben altijd laat,' zei ik, terwijl ik mijn sleutels pakte.

'Jij hoeft niemand op te halen.'

'Maar ik moet jou wel bij een of ander limousinebedrijf afzetten,' mopperde ik.

'Ik ga echt de bus niet nemen op dit tijdstip.'

'Je had ook gewoon je rijbewijs kunnen halen,' zei ik.

'Ik ben minderjarig!' riep hij verontwaardigd uit.

'Dan had het limousinebedrijf je toch hier kunnen ophalen?'

'Carter, we zijn hier net ook al doorheen geweest. Dat kostte extra.'

'Dan jat je geld van pap.'

'Dat ben jij, niet ik.'

'Jaja, het is al goed.' Ik startte de motor en trapte zodra ik gas gaf meteen weer op de rem!

'Wat?' vroeg Tyler.

'Iets vergeten!' riep ik, terwijl ik de auto uitsprong.

Ik pakte de sleutels en stapte weer naar binnen. Waar had ik het gelaten? Ik vond het in de keuken. De bloedrode roos. Haar favoriet. Ik sloot het huis weer af en ging weer in de auto zitten.

'Hou dit vast, en voorzichtig!' gebood ik Tyler.

'Au! Doorns!'

'Natuurlijk heeft die bloem doorns, Ty, het is een roos!'

Zo gingen we eindelijk op weg en langzamerhand werd de sfeer minder gespannen.

'Je komt nog op tijd,' vertelde ik Tyler terwijl ik op mijn horloge keek.

Hij knikte.

'Je ziet er goed uit, knul,' moedigde ik hem aan.

Ik begreep dat het spannend voor hem moest zijn om met een ouder iemand mee te gaan naar het bal.

'Bedankt.' Hij gaf me een broederlijke stomp.

'Jij ook.'

'Bedankt,' grijnsde ik.

Aangekomen bij het limousinebedrijf stopte ik. Ik keek of Tyler's pak netjes zat, of er niets tussen zijn tanden zat, klaar om te gaan.

'Denk eraan, Ty, alle formaliteiten in acht nemen: deuren openhouden, jas aannemen, je kent het wel,' zei ik toen Tyler uitstapte.

'En misschien doet haar vader open of staat erbij en fluistert hij een paar dreigementen in je oor zodra hij de kans krijgt, maar daar moet jij je niets van aantrekken, dat hoort er gewoon bij.'

Ik zag Tyler slikken.

'Geen zorgen, jij kan tenminste nog misbruik maken van je onschuldige glimlach. Ik weet zeker dat alles goed komt. Je doet het vast helemaal top.' Ik lachte en stak mijn duim op.

'Bedankt, C,' grijnsde hij, iets minder nerveus, maar nog steeds niet helemaal gerustgesteld.

'Tyler, mijn roos.'

'O ja.'

Hij gaf mijn roos terug.

'Zet hem op,' knipoogde ik en trapte het gaspedaal in. In mijn achteruitkijkspiegel zag ik dat Tyler al op zoek was naar zijn limousine.

Het was gezond om een beetje zenuwachtig te zijn. Tot mijn verbazing was ik het zelf ook. Ik had ook geen idee wat ik moest verwachten. Vooral omdat ik Lily niet op zou halen. Ik had dus totaal geen controle over of ze er zou zijn of niet. Het was niet echt Lily waar ik me druk om maakte, meer de indruk die ze had gegeven van haar ouders. Het baarde me zorgen dat ze haar misschien niet zouden laten gaan, maar dat waren misschien de zenuwen die me volkomen paranoïde maakte.

Ik reed naar school en ik vond het ronduit irritant dat ik niet zou weten waar Lily zou staan, wanneer ze zou arriveren en of ze al binnen zou zijn of niet. Ik moest er niet aan denken om in mijn eentje naar binnen te gaan. Ik kon me Jenniffer's gezicht al helemaal voorstellen.

Hoe dichter ik bij school kwam, hoe drukker het werd. Mooie auto's wachtten hun beurt af om te parkeren voor de rode loper, die was uitgerold richting de schoolingang. Er werd druk geflitst met camera's. Het leek wel een filmpremière! Binnen klonk muziek en ik zag hoe medestudenten in hun mooiste jurken en beste pakken uit de auto's stapten. Ik ging niet in de rij staan. Ik reed er omheen en zocht naar een plekje waar ik mijn auto neer kon zetten zonder al te veel opgemerkt te worden. Ik nam aan dat Lily gewoon op de begintijd van het bal zou arriveren, en die was al ruimschoots voorbij. Ik ging er niet vanuit dat ze in de rij met auto's zou staan om haar bestelbusje te showen. Misschien was ze al binnen.

Uiteindelijk wist ik mijn auto op een openbare parkeerplaats ergens tussen te krijgen. Ik vermeed die van de school zorgvuldig. Ik wilde niet dat iemand mij zou vragen waar Lily was. Ik stapte uit. Mijn ogen speurden het schoolterrein af. Ik zag nergens een stel golvende rode haren naar binnen schieten. Ik keek naar de auto's en dacht Tyler's limousine te zien, maar misschien was hij niet de enige die er een had gehuurd.

Misschien zou Lily niet komen. Ze zou niet komen! Met de minuut werd ik daar zekerder van. Ik zuchtte. Wat zou Arthur hier van genieten, en Jenniffer. Na zelf zo vaak gedumpt te zijn, zou ze het natuurlijk prachtig vinden om mij te zien afgaan. Ik beet op mijn lip. Ik kon naar huis gaan, maar dat zou nog zieliger overkomen. Als ik maar naar binnen kon komen zonder dat iemand me zou zien.

Ik keek nog een keer tussen de rij auto's en tussen de mensen: geen Lily. Ik voelde de teleurstelling door mijn lichaam stromen, maar ik zou niet naar huis gaan. Zo zwak was ik niet en Tyler zou zich afvragen waar ik zou zijn.

Gelukkig wist ik precies waar ik ongemerkt naar binnen kon glippen. Ik liep langs de straat om het schoolgebouw heen, vermeed de auto's, zodat niemand zou zien wie hier in zijn eentje rondzwierf. Bij de achterkant van de school legde ik mijn hand op de klink van de nooduitgang. De deur zat niet op slot. Ik duwde ertegenaan en werd verwelkomd door muziek en mijn ogen moesten wennen aan het plotselinge donker, maar al snel zag ik allerlei gekleurde lampen flitsen en kon ik dansende figuren onderscheiden. Ik liep verder de kantine in, die omgetoverd was tot een heuse danszaal. Ik stootte tegen een tafel met hapjes aan en verontschuldigde me tegen degene die daardoor frisdrank over zich heen kreeg. Ik keek verwonderd rond. Elk jaar wisten ze het weer mooier en mooier te maken.

Lily zag ik niet, en nadat ik me tussen de menigte door had gewrongen, plantte ik mezelf tegen de muur om me daar de rest van de avond ellendig te voelen. Ik keek naar de ingang en kon het niet helpen nog steeds een sprankje hoop te koesteren dat Lily alsnog zou komen. Toen ik Arthur en Ashley, en Jenniffer en Frank binnen zag komen, draaide ik mijn hoofd snel weg.

'Carter!'

Te laat. Arthur en de rest kwamen aanlopen.

'Waar is Lily?' vroeg hij meteen.

De enige reden waarom hij met me praatte, was omdat hij hoopte wat ik zo vreesde: dat Lily er niet was en niet zou komen.

'Ik verwacht dat ze elk moment zal arriveren,' zei ik zo kalm mogelijk.

'Dat verwacht je?' grijnsde Arthur. 'Je weet het dus niet zeker?'

Ik hoorde Jenniffer giechelen, zoals ze altijd had gedaan om mijn opmerkingen. Ik gaf geen antwoord.

'Dat is me wat. Wordt Carter Johnson zelf gedumpt, en nog wel op het bal! Wat jammer, Carter. Na er maanden over opgeschept te hebben, komt Lily niet opdagen.'

Zijn stem was zo vergenoegd, dat mijn handen jeukten om hem een dreun te verkopen. Misschien was naar huis gaan toch niet zo'n slecht idee geweest. Ik keek weer naar de ingang en probeerde Arthur en de rest, die om zijn opmerkingen lachte, te negeren.

Ik zwaaide toen Tyler en Norah binnenkwamen. Norah zag er beeldschoon uit. Ze zwaaiden terug en Tyler keek zoekend, waarschijnlijk zocht hij Lily. Arthur lachte.

'Dat is wat, zelfs je broertje heeft een date. Is dat waarom Norah je afwees? Ze ging al met je broertje?' vroeg hij spottend.

Ik hoorde hem niet, want achter het stel wat na Tyler en Norah was binnengekomen, liep iemand die ik uit duizenden herkende. Hoewel... ik moest een aantal keren goed knipperen om er zeker van te zijn dat het niemand anders was. Haar ogen zochten de zaal rond. Ogen die zochten naar mij! Ik kon alleen niet bewegen. Ze was te mooi om bij mij te horen. Gewoonweg te mooi. De lange, zwarte, getailleerde jurk liet haar figuur perfect uitkomen. Er hing een sjaal losjes om haar schouders, ik vermoed dat het was om haar littekens te verbergen. Haar haar had ze opgestoken en een aantal golvende lokken hing speels langs haar gezicht. Arthur staarde haar ondertussen ook aan. Uiteindelijk vonden Lily's ogen die van mij en ik glimlachte. Ze glimlachte terug. Ik klopte Arthur op zijn schouder.

'Je had gelijk: Lily in een jurk... ik mag blij zijn als ik het overleef,' zei ik.

'Veel plezier met Ashley,' voegde ik eraan toe terwijl ik naar Lily liep.

Lily snelde naar me toe.

'Sorry dat ik zo laat ben,' zei ze.

'Je wil niet weten hoelang het duurde om dit voor elkaar te krijgen.' Ze gebaarde naar zichzelf.

'Je bent prachtig,' zei ik.

'Dank je,' mompelde ze verlegen.

'Het zit anders allemaal voor geen meter,' fluisterde ze me vertrouwelijk toe.

Ik grinnikte.

'Dat is niet te zien, Lily. Wil je wat drinken?'

'Ja, waarom niet,' glimlachte ze.

Ik bood haar mijn arm aan en ze haakte die van haar in de mijne.

'Jij bent trouwens ook erg...' Ze gebaarde nu naar mij en wist duidelijk het woord niet.

'Dank je,' lachte ik.

Ik moest niet te lang in die grote, groene ogen kijken als ik de draad van mijn gedachten wilde behouden.

We liepen door de zaal naar de tafel die ik zojuist bijna had omgegooid.

'Carter, ik moet je iets bekennen.' Lily probeerde het te fluisteren, maar dat ging niet vanwege de muziek, dus ze was gedwongen harder te praten.

'Wat?' vroeg ik.

'Ik kan niet dansen.' Ze keek me bezorgd aan.

Ik lachte geruststellend.

'Geen zorgen,' zei ik. 'Hier, drink eerst dit maar op.'

Ik gaf haar een glas. Ze nam een slok een spuugde het meteen weer uit. Een paar meisjes mompelden verontwaardigd omdat het *bijna* op hun jurk was gekomen.

'Hou op met me dingen te voeren die zo verschrikkelijk smaken!' zei ze verontwaardigd.

'Ik voer je niet!'

'Ik hoef bij nader inzien toch niets te drinken,' zei ze.

Ik rolde met mijn ogen.

'Je bent zo kieskeurig.'

Ze glimlachte en pakte mijn hand.

'Ik weet het,' zei ze.

Ik hield haar vast en trok haar mee de dansvloer op.

'Ik weet echt niet hoe dit moet,' zei ze angstig.

'Het is niet moeilijk, je beweegt gewoon op de muziek,' antwoordde ik.

'Dat is nogal een stomme bezigheid,' vond ze.

Ik lachte, opgelucht omdat ik haar deze avond aan mijn zijde had. Ik hield haar vast en danste met haar, maar Lily had duidelijk geen idee wat ze moest doen.

'Carter, ik kan dit echt niet,' zei ze wanhopig.

Ze kon het inderdaad niet, hoewel haar alledaagse bewegingen er altijd uitzagen alsof ze danste. Ze kon het wel, ze moest het alleen nog leren.

'Rustig maar, we doen dit gewoon stap voor stap,' riep ik boven de muziek uit.

Lily zuchtte en had er duidelijk geen vertrouwen in. Ik pakte haar handen.
'Je beweegt gewoon van je ene voet op de andere om mee te beginnen.'
Lily begon vertwijfeld te stappen en volgde elke beweging die ik maakte.
'Stap, stap,' zei ik op het ritme van de muziek.
'Goed zo,' grijnsde ik toen ze het onder de knie kreeg.
'Nu de rest van je lichaam nog.'
Ik deed het voor. Ze trok haar wenkbrauwen op en haar mondhoeken schoten
een stukje omhoog. Ze probeerde me na te doen. Ze deed het nog soepel ook.
Ik lachte.
'Zie je wel, je danst,' moedigde ik haar aan.
Ze knikte enthousiast.
'Jij niet,' zei ze.
Ik was zo naar haar aan het staren dat ik vergat te dansen.
'Sorry,' grijnsde ik verlegen.
Na elk nummer had Lily wel weer een nieuw pasje van mij geleerd of van
iemand anders afgekeken en ze leek er erg veel plezier in te hebben. Ze werd
zo enthousiast dat ze op een gegeven moment struikelde over haar eigen jurk.
Ik ving haar op.
'Voorzichtig,' waarschuwde ik lachend.
Ze glimlachte.
'Ik denk dat ik iets moet drinken,' zei ze.
'Dat denk ik ook,' knipoogde ik.
Op dat moment werd er een langzamer nummer opgezet en uit de hele zaal
stroomden stelletjes naar elkaar toe.
'Misschien kun je je dorst nog een nummer tegengaan?' vroeg ik.
'Wat is dit voor een dans?' vroeg Lily nieuwsgierig toen ze iedereen naar elkaar
toe zag kruipen.
'Schuifelen,' zei ik simpelweg.
'Kun je me dat ook leren?' vroeg ze.
Ik glimlachte en knikte. Ik pakte haar hand en legde die op mijn schouder. Mijn
hand legde ik op haar heup en met de andere hield ik haar andere hand vast.
Ze keek me aan en ik trok haar wat dichter naar me toe.
'Hoe moet ik hier op bewegen?' vroeg ze fluisterend, aangezien het niet meer
nodig was om boven de muziek uit te schreeuwen.
'Volg maar gewoon waar ik heen ga,' antwoordde ik zachtjes.
We bewogen langzaam heen en weer en Lily volgde elk stapje dat ik zette.

'Ik vind het nog steeds een stomme bezigheid,' mompelde ze.

'Vind je?' blies ik tegen haar oor aan.

Haar antwoord was haar hand die ze op mijn rug legde en me daarmee dichter naar zich toetrok.

'Ronduit belachelijk,' fluisterde ze.

Ik gniffelde zachtjes.

'Hoort dat?' vroeg ze.

Ik keek op en ze knikte richting de meisjes die hun hoofd op de schouders van de jongens hadden gelegd.

'Dat mag, dat hoeft niet,' antwoordde ik.

Voorzichtig plantte ze haar hoofd op mijn borst, vlak onder mijn schouder, en ontspande. Ik voelde hoe het kippenvel op mijn huid stond. Zo intiem als dit waren we nog nooit geweest. Ik vond het jammer dat ze haar haar niet los had, ik had nu graag mijn gezicht in haar lekker ruikende lokken verborgen. In plaats daarvan verborg ik mijn gezicht voorzichtig tegen haar nek. Ze kneep zachtjes in mijn schouder waar ze haar hand had teruggeplaatst. Het nummer was veel te snel afgelopen en ik liet Lily met tegenzin los.

'Hm,' stootte ze bedenkelijk uit.

'Een drankje?' vroeg ik.

Ze knikte. Ik pakte haar hand en liep naar de tafels gevuld met drank en hapjes.

'Wat wil je? Ik wil je niet weer iets laten uitspugen.'

'Water,' zei ze vastbesloten.

'Water,' mompelde ik zoekend.

'Ik geloof niet dat het hier staat. Ik loop wel even naar de toiletten om het te halen,' bood ik aan.

Ze pakte het lege bekertje van me over.

'Dat hoeft niet, ik ga zelf wel even. Ik moet toch,' zei ze.

'Oké,' glimlachte ik.

Ze verdween tussen de mensen en ik blies mijn adem uit alsof ik die constant had in gehouden. Ze had een effect op me dat ronduit ongezond was.

'Carter!' Norah kwam naast me staan.

'Hoi Noor. Heb je het naar je zin?' vroeg ik.

'Ik zou willen dat je eens ophield met Noor,' lachte ze. 'En ja, ik heb het superleuk. Je broertje is een schatje.'

'Je praat alsof je het over een drie jaar oude kleuter hebt,' grijnsde ik.

'Nou, hij is meer volwassen dan jij, maar hij heeft zijn kinderlijke onschuld nog,' knipoogde ze.

'Ik zei al dat hij dat op je vader moest loslaten voor het geval hij opendeed!' zei ik.

Haar gezicht betrok een fractie van een seconde.

'Ik heb geen vader meer, hij is vorig jaar september overleden aan een hartstilstand.'

'O, dat spijt me. Dat wist ik niet,' zei ik geschokt.

'Dat geeft niet. Dat kon jij niet weten,' antwoordde ze vriendelijk. 'Tyler heeft me verteld over jullie moeder, dus van alle mensen weet jij hoe het is.'

Ik knikte.

'Waar is Tyler eigenlijk?' vroeg ik om van onderwerp te veranderen.

'Hij is even naar het toilet,' zei ze glimlachend.

'Lily ook,' knikte ik.

'Hebben jullie het naar je zin met zijn tweeën?' vroeg Norah.

'Ja,' lachte ik.

'Zo ziet het er ook uit,' glimlachte ze. 'Ik ben blij dat jullie het hebben bijgelegd.'

'Ik ook,' zei ik.

'Kun je een beetje met Tyler overweg? Ook al is hij jonger?' vroeg ik.

'Natuurlijk,' zei ze, 'en zoals ik al zei: hij is erg volwassen voor zijn leeftijd en erg slim.'

'Laat me raden, jullie hebben het alleen maar over schoolprojecten?' zei ik lachend.

Norah gaf me een verlegen duw.

'Dat is toevallig de interesse die we delen,' wierp ze tegen.

'Dus zit er meer in dan alleen vriendschap?' vroeg ik plagend.

'Ach, Carter, daar denkt die arme jongen toch nog helemaal niet over na,' zei Norah berispend.

'Hoe weet jij dat nou?' vroeg ik quasi verontwaardigd.

'Nee, er zit niets meer in dan vriendschap, Johnson,' lachte ze.

'Carter!' Tyler kwam aangesneld.

'Hoi Ty,' grijnsde ik.

'Carter, ik denk dat het beter is als je even meeloopt naar de gang. Ik denk dat je dit moet zien.'

'Wat?' vroeg ik meteen bezorgd.

'Het is Lily, volgens mij gaat het niet helemaal goed,' riep Tyler.

Mijn gezicht betrok en ik rende tussen de massa leerlingen door. Ik stootte iemands drankje over hem of haar heen en liep iemand anders bijna omver. In de hal van de school was het opeens stil en licht en er was niemand. Ik knipperde een paar keer om eraan te wennen. Toen zag ik wat Tyler bedoeld had. Lily had geen aanval, zoals ik gedacht had. Ze stond tegen de muur aangedrukt, haar handen werden vastgehouden zodat ze geen kant op kon en iemand probeerde haar te zoenen. Het bloed steeg naar mijn hoofd. De persoon die aan haar zat, was niemand minder dan Arthur, die duidelijk te diep in het glaasje had gekeken. Lily kronkelde alle kanten op om uit Arthur's greep te ontsnappen.

'Arthur!' schreeuwde ik.

Arthur keek op.

'Carter,' zei hij met dubbele tong, 'ga weg. Ik zou met haar moeten zijn en niet jij!' Zijn vinger zwaaide alle kanten op terwijl hij me aanwees.

'Laat me los!' schreeuwde Lily.

Ik greep Arthur vast.

'Ik geloof dat zij daar anders over denkt.'

Toen stompte ik hem om hem van Lily af te krijgen met mijn vuist in zijn gezicht. Hij sloeg meteen achterover. Hij lag kreunend op de grond, maar hij was te dronken om terug te vechten. Ik greep Lily vast.

'Gaat het?' vroeg ik.

Lily knikte terwijl ze geschokt naar Arthur keek, die op de grond lag te kermen. Met zijn hand op zijn neus, waar bloed uit sijpelde. Ik hoorde iemand gillen. Ashley kwam aangesneld en knielde naast Arthur neer.

'Wat heb je met hem gedaan?' gilde ze.

Zoals ik verwachtte, volgden Jenniffer en Frank al gauw en ook Jason en Casey.

'Carter,' siste Jason geschokt.

'Voorkómen dat Arthur Lily tegen haar wil kust,' antwoordde ik koel.

Ashley keek me verafschuwd aan.

'Dat zou hij nooit doen. Hij zou nooit een ander kussen!'

'Blijkbaar wel.' Het was Lily die antwoordde.

Ashley staarde haar aan.

'Jij, trut! Hoeveel vriendjes ga je nog afpakken!' krijste Ashley.

Ik duwde Lily achter mijn rug.

'Voorzichtig Ashley, je wilt toch niet naast Arthur eindigen?' vroeg ik.

Jason floot verontwaardigd tussen zijn tanden.

'Je zou niet durven,' siste Ashley.

'Je hebt gelijk,' zei ik. 'Jij zal al genoeg pijn hebben wanneer Arthur je vertelt dat hij verliefd is op Lily.'

Het was niet helemaal eerlijk. Ik was kwaad op Arthur. Nee, razend! En de dreun die ik hem had verkocht, was niet genoeg geweest om dat kwijt te raken, dus reageerde ik de rest op Ashley af. Het was niet goed, in mijn achterhoofd wist ik dat, maar ik werd zo moe van de constante aanvallen op Lily. Ashley barstte in tranen uit. Jenniffer snelde naar haar toe om haar vriendin te troosten.

'Je bent zo'n eikel, Carter!' scheldde ze.

Ik pakte Lily's hand.

'Kom, we gaan naar buiten.'

Ze knikte en liep met me mee. Jason en Frank hielpen Arthur overeind. Buiten ademde ik de frisse avondlucht in.

'Ashley kon het niet helpen,' zei Lily.

'Ik weet het. Ik bedoelde het niet zo. Ik was... ik ben gewoon kwaad op Arthur,' zuchtte ik.

'Weet je zeker dat het gaat?' vroeg ik.

Ze knikte. Ze raakte mijn arm voorzichtig aan.

'Dank je,' zei ze.

'Sorry dat ik er niet eerder was,' zei ik.

'Hoe kon jij het nou weten. Arthur gedroeg zich vreemd.'

'Hij was dronken,' zei ik.

'Dronken?' herhaalde ze mompelend.

'We zijn buiten,' zei ze toen.

'Ja,' bevestigde ik verbaasd.

Ze sloot haar ogen, nam een diepe teug lucht en opende haar ogen toen ze die weer uitblies.

'Wil je iets voor me doen?' vroeg ze.

Alles.

'Natuurlijk,' zei ik.

'Wil je mijn haar losmaken?' vroeg ze.

'Weet je het zeker?' vroeg ik.

Het zag eruit alsof er nogal wat werk in was gestopt. Ze knikte en zei: 'Ik wil de wind er doorheen voelen.'

Ik ging achter haar staan en begon met beleid een voor een alle klemmetjes eruit te halen. Lok na lok viel langs haar gezicht en in haar nek, totdat haar golvende haren wapperden in de wind, zoals zij het wilde.

'Wat moet ik hiermee doen?'

'Gooi maar weg,' zei ze.

'Wat?' vroeg ik verrast.

'Gooi maar weg. Ik gebruik ze toch niet meer,' herhaalde ze.

Ik gooide de klemmetjes verbaasd in de dichtstbijzijnde prullenbak.

Ik ging weer achter haar staan en ging voorzichtig met mijn hand door haar haar.

'Ik vind het mooier los,' gaf ik aan.

Ze draaide zich om.

'Ik ook,' zei ze glimlachend.

'Ik heb iets voor je,' zei ik.

'Ik heb het alleen in de auto laten liggen.'

Ik keek om, om te zien of er geen leraren waren die ons van het schoolterrein af zouden zien gaan. Toen dat niet het geval was, trok ik Lily mee de straat op, naar mijn auto.

'Ogen dicht,' zei ik.

Ze sloot haar ogen. Ik pakte de roos die nog op de passagiersstoel lag.

'Voorzichtig,' zei ik.

Ik klemde haar vingers om het doornloze gedeelte van de steel. Ze opende haar ogen.

'Een roos,' zei ze verwonderd.

Ik glimlachte.

'Dank je, Carter, hij is prachtig.'

Ze keek er net zo verwonderd naar als de eerste keer dat ik er een voor haar neus had gehouden.

'Niemand heeft me ooit iets gegeven,' zei ze.

Het was weer zo'n typisch trieste, maar zonder twijfel ware uitspraak. Ik kon er niet meer verbaasd over zijn.

'Ik wil niet terug naar binnen,' zei ze.

Ik keek rond.

'Dat hoeft ook niet. Kom.'

Ik pakte haar hand en nam haar mee naar een grasveldje verderop. Je kon in de verte de muziek van de school nog steeds horen. Ik zakte samen met haar neer op het gras. We gingen op onze rug liggen en na een tijd naar elkaar te hebben gestaard, keken we omhoog.

'De maan lijkt kleiner hier,' zei ze.

'Is hij groter waar jij vandaan komt?' vroeg ik.

Ik had me er al bij neergelegd dat ze me nooit zou vertellen waar dat was.

'Ja,' antwoordde ze.

'Het is dezelfde maan, hoor,' zei ik.

'Nee.' Ze schudde bijna onmerkbaar haar hoofd. 'Nee, deze is heel anders.'

Ik glimlachte even.

'Ik heb zoveel van je geleerd,' zei ze.

Ik keek opzij naar haar.

'Zoals wat?' vroeg ik nieuwsgierig.

'Wie Shakespeare is,' glimlachte ze.

Ik grijnsde. Ze rolde op haar elleboog en liet haar gezicht op haar hand steunen zodat ze me aan kon kijken.

'En dat niet alle mensen slecht zijn,' vervolgde ze.

Ze deed het weer. Praten over mensen alsof ze er zelf geen was.

'Ik heb zo lang gedacht dat niemand zich hier ook maar om de ander bekommert.'

Ze zuchtte.

'Jij was net zo als de rest in het begin, maar toch ook zo anders.'

Ze glimlachte naar me.

'Je hebt me geleerd dat er nog iets goeds is in de wereld. Mensen die het wel iets kan schelen.'

Ze keek me een tijdje zwijgend aan en ik had niet het gevoel dat ik de stilte moest doorbreken, ook al wist ik niet zeker wat ze bedoelde. Ik raakte haar gezicht voorzichtig aan en haar ogen vulden zich met tranen. Ze draaide zichzelf weer op haar rug.

'Waarom huil je?' vroeg ik geschokt.

Ze draaide haar gezicht weer naar me toe en ik keek hoe de zoute tranen over haar wangen stroomden.

'Omdat ik gelukkig ben,' glimlachte ze snikkend. 'En omdat ik weet dat het niet voor altijd is.'

Ze veegde driftig haar tranen weg. Duidelijk geïrriteerd om zichzelf. Ik keek haar aan en vroeg me af wat haar toch zo'n pijn kon doen.

'Ik begrijp het niet,' mompelde ze.

'Wat niet?' vroeg ik.

'Ik dacht dat tranen alleen kwamen als je pijn hebt of als je je alleen voelt,' antwoordde ze.

'Je kan overal om huilen,' zei ik troostend.

Ze snikte weer.

'Shh!'

Ik rolde me om en boog me over haar heen om haar tranen weg te vegen.

'Ik heb ook van jou geleerd, weet je,' zei ik om haar op te vrolijken.

'Wat zou jij nou van mij kunnen leren?' vroeg ze.

Ik streek een lok uit haar gezicht.

'Je hebt me geleerd het beste in een ander naar boven te halen, in plaats van in mezelf.'

Ze glimlachte snikkend.

'Stop met huilen,' suste ik.

Ik twijfelde even, maar kuste toen haar oogleden. Iets waar ik met menig ander meisje niet eens over nagedacht zou hebben, maar zij deed me haperen. Ik voelde hoe ze onder me bevroor, maar iets leidde me af.

'Je draagt mascara,' zei ik afkeurend.

Ik zag nu ook de zwarte strepen op haar wangen in het maanlicht. Ze ontspande weer iets.

'Ja,' zei ze net zo afkeurend als ik.

'Ik moest het op, dat hoort als je naar een gala gaat, zeiden ze. Ik hou er niet van, het prikt in mijn ogen,' mopperde ze.

Ik vroeg me af of 'ze' haar ouders waren.

'Je moet ook niet huilen, dan loopt het uit,' zei ik terwijl ik de zwarte strepen van haar gezicht veegde.

Ik tikte glimlachend op haar neus en rolde weer naast haar. Zo keken we weer omhoog.

'Weet je waarom de maan omringd is door zoveel sterren?' vroeg ze.

Ik schudde mijn hoofd.

'Waarom?' vroeg ik.

'Omdat het haar tranen zijn,' antwoordde ze.

'Voor elke traan die de maan laat, verschijnt er een ster aan de hemel.'

'Waarom huilt de maan?' vroeg ik.

'Omdat ze op ons neerkijkt en al het leed van de wereld ziet.'

Het was geen verhaal, ze geloofde wat ze zei en ik ook. Ieder woord.

'Maar soms raken haar tranen de aarde en dan weet je dat er ergens op de wereld iets goeds gebeurt.'

'Een vallende ster?' vroeg ik.

Ze knikte.

'De dag dat er geen sterren meer aan de hemel zijn, is de dag dat er geen verdriet meer is,' sloot ze af.

Ik glimlachte en stond op. Ze keek me vragend aan.

'Wat doe je?' vroeg ze.

Ik trok haar overeind en trok haar tegen me aan.

'Ervoor zorgen dat haar tranen de aarde raken,' antwoordde ik glimlachend.

Ik liet haar een rondje draaien en begon met haar te dansen. Sneller dan schuifelen, langzamer dan de nummers waar ik haar op had leren dansen.

'Dit, mejuffrouw, is de maandans,' knipoogde ik.

Toen lachte ze, terwijl ik haar nog een rondje liet spinnen. Het was de mooiste en helderste lach die ik ooit gehoord had en ooit zou horen. Haar witte tanden schitterden, haar ogen straalden en een vallende ster schoot door de lucht.

18. Achtervolging

Zo brachten wij de avond door. Dansend, ver weg van de rest, de muziek nauwelijks hoorbaar in de verte en bij elke stap die we zetten, wisten we dat we een stap dichterbij het einde van het bal kwamen. Toen ze me aankeek, wist ik dat het zover was en ik kon haar niet stoppen de woorden uit te spreken die ik niet wilde horen.

'Ik moet gaan,' fluisterde ze.

'Ik breng je naar huis,' bood ik aan.

Alles om langer bij haar te zijn.

'Nee,' zei ze snel. 'Nee, ik word al opgehaald,' voegde ze eraan toe toen ik mijn wenkbrauwen verbaasd optrok.

We liepen zwijgend terug naar het schoolgebouw en Lily leek onrustig. Ik kon het niet helpen me weer af te vragen wat ze toch voor me verborgen hield, maar ik wist dat als ik er naar zou vragen dat de hele avond zou verpesten.

Het witte busje stond er al. Lily's voetstappen werden langzamer, haar houding gespannen. Ik sloeg mijn arm om haar middel, maar op de een of andere manier leek ze dat opeens niet prettig te vinden. Misschien had haar vader toch meer vaderlijke gevoelens dan hij liet merken, en schaamde Lily zich nu een beetje. Toch liet ik haar niet los, ik wilde haar gewoon nog even kunnen voelen.

Dronken leerlingen zwalkten over het schoolterrein, sommige luid zingend, andere namen afscheid van elkaar en weer andere waren nog lang niet klaar om te vertrekken. Mijn ogen zochten naar Arthur, maar ik kon hem niet vinden.

'Carter.'

Een rilling liep over mijn rug toen ze mijn naam noemde. We waren bij het busje aangekomen en haar vader keek me aan met zijn priemende oogjes. Ik keek naar Lily.

'Dank je,' zei ze, 'voor alles. Ik heb een heerlijke avond gehad.'

Ze glimlachte triest en keek naar haar schoenen.

'Lily,' zei ik zuchtend, terwijl ik mijn vinger onder haar kin schoof zodat ze me aan zou kijken.

Haar grote, groene ogen stonden triest, bang zelfs en ik kon haar niet troosten want ik wist niet wat er was.

'Ik zie je maandag, goed?'

Ik keek haar aan.

'Maandag is niet zo ver weg,' zei ze zacht.

'Nee, maandag is heel dichtbíj,' antwoordde ik.

Ze glimlachte, en dit keer deden haar ogen bijna mee.

'Wil je deze voor me bewaren?' vroeg ze.

Ze gaf me de roos.

'Maar hij is voor jou,' zei ik verward.

'Dat weet ik, maar ik wil graag dat jij erop past, totdat ik hem mee kan nemen,' zei ze.

Ik nam de roos aan.

'Ik zal er goed op passen,' zei ik.

Ze glimlachte.

'Tot morgen, Carter,' zei ze.

'Tot morgen, Lily.'

Er ontstond een onhandig moment toen we niet zeker wisten hoe we afscheid moesten nemen. Na wat gestuntel van een halve hand en een halve omhelzing kuste ik haar voorhoofd en hielp haar het busje in. Haar vader keek allesbehalve ongeduldig, ook al had het even geduurd voordat Lily eindelijk zat. Integendeel, hij keek zelfs bijzonder gefascineerd. Lily leek er geen acht op te slaan, maar ik deed ongemakkelijk een stap achteruit nadat ik het portier had gesloten. Ze zwaaide naar me. De motor startte. Op dat moment maakte ik een beslissing. Ik zwaaide terug en liep in een snelle looppas naar mijn auto en sprong erin. Wat het ook was dat ze voor me verborgen hield, vanavond zou ik erachter komen.

Ik startte mijn motor en reed achter het witte busje aan, die ondertussen al het einde van de straat had bereikt. Ik bleef op een veilige afstand en controleerde of mijn lampen uit stonden. Het busje ging een lange tijd rechtdoor en sloeg uiteindelijk ergens rechtsaf.

Lily bleek een aardig eindje van de school af te wonen. Ik nam nog wat meer afstand, er waren hier geen andere auto's meer op de weg. We waren een afgelegen straatje ingeslagen en ik wilde niet dat ze mijn motor hoorden. Hoe verder we reden, hoe minder huizen we tegenkwamen. Op een gegeven moment stonden er langs de weg zelfs geen lantaarnpalen meer. Ik was nu volledig afhankelijk van de rode achterlichten van het busje. We reden ergens waar ik nog nooit was geweest. Na een tijdje werden de bomen weer afgewisseld met lantaarnpalen en reden we verscheidene industrieterreinen voorbij, die me allemaal deden denken aan locaties uit lugubere films.

Eindelijk sloeg het busje af, richting een parkeerplaats dat hoorde bij een enorm gebouw dat me nog het meest aan een ziekenhuis deed denken. Er brandde op verschillende verdiepingen licht. Om het terrein op te komen, reed het busje door twee grote, stalen hekken heen, die openzwaaiden zodra haar vader ergens een pasje langs had gehaald. Ik parkeerde mijn auto in de berm en stapte uit. Hopeloos keek ik rond, op zoek naar een andere ingang, maar alles bleek met hekken en prikkeldraad afgezet te zijn. Ik vond het maar niks. Het was ontzettend benauwend om te zien hoe Lily steeds onbereikbaarder leek te worden. Het was geen gewoon huis waar ze in woonde, dat was wel duidelijk. Ik probeerde te begrijpen waarom alles zo streng beveiligd was.

Ik zag Lily en haar vader als twee kleine stipjes in de verte naar het gebouw toe lopen. Weer haalde haar vader het pasje tevoorschijn en haalde het ergens doorheen. Vervolgens tikte hij een code in en gingen de glazen schuifdeuren van de entree open. Ze gingen het gebouw in.

Ik stond een tijdje te wachten, maar er gebeurde verder niets dat ik vanaf mijn positie buiten het hek kon waarnemen. Ik sloop rond de hekken, maar kon nergens een opening ontdekken. In het licht van het gebouw las ik verscheidende bordjes die waarschuwden voor de elektriciteit die op de hekken stond. Zuchtend liet ik mezelf in de berm zakken. Het was allemaal zo onrealistisch.

Ik keek opzij toen ik het gebrom van een automotor hoorde. De auto stopte voor het hek. Ik rees zachtjes omhoog, beseffend dat dit waarschijnlijk de enige kans was die ik zou krijgen. Zo stil mogelijk kroop ik achter de auto, die in een slakkengangetje doorreed toen er voor hem werd opengedaan. Gebukt sloop ik achter de auto aan, tot ik op het parkeerterrein tussen een aantal auto's me kon verstoppen. Mijn hart bonkte in mijn keel. Ik was binnen. Zo goed als binnen. Ik keek over de motorkap van de auto waarachter ik me verscholen hield en keek waar de auto die me binnen had gebracht heen was gegaan. Hij stond niet ver van de ingang geparkeerd. Een man stapte uit en ging op dezelfde manier naar binnen als Lily. Ik wachtte een paar minuten en toen alles veilig leek, stond ik op en liep naar diezelfde deur.

Ik voelde de zenuwen door mijn buik gieren en ik gluurde door de glazen schuifdeuren naar binnen. Ik zag een lange, witte hal die verlicht werd door tl-buizen. Aan het eind van de hal waren twee paar klapdeuren. Er was een receptie aan de linkerkant. Ik zag niemand. Ik keek naar de cijfers waar de code in moest worden gevoerd, maar proberen had geen zin: ik had geen pasje en als er een alarm af zou gaan, was ik nog verder van huis! Doelloos staarde ik naar binnen, teleurgesteld omdat mijn achtervolging zo weinig uithaalde.

Ik kreeg een onbehaaglijk gevoel. Wat als Lily vanwege de aanvallen die ze af en toe had in een inrichting zat? Ze had weinig kennis van de wereld, praatte soms alsof ze iets anders was dan een mens. Wat als Lily... gestoord was? Die gedachte maakte me nogal misselijk. Ik zou niet met die conclusie naar huis kunnen gaan. Een fractie van een seconde had ik er spijt van dat ik haar gevolgd was. Ze wilde dat er iets voor me verborgen bleef en dat zeker te maken zou hebben met dit rare gebouw waar ze in woonde. Wat als de leugens die ze ophield inderdaad veel makkelijker waren om mee te leven?

Toch kon ik mezelf er niet toe brengen om om te keren en naar huis te gaan. Ik zou een manier moeten vinden om binnen te komen, al zou ik er de hele nacht naar moeten zoeken.

Plotseling zwaaiden de grote klapdeuren open. Verstijfd keek ik in het gezicht van een blonde vrouw die ik op Lily's eerste schooldag had gezien: Joan, zo had Lily haar eens genoemd. De glazen buitendeuren en het licht dat er doorheen viel, stelden me volledig bloot aan haar gezichtsveld. Er was geen twijfel mogelijk: ze had me gezien! En zo langzaam dat het wel in slow motion leek te gebeuren, bracht ze haar hand naar een knop op de muur en zodra ze hem indrukte, begon er een alarm te loeien. Ik zag rode flitsen van zwaailichten die waarschuwden dat er een indringer was. Misschien had ik dit alles toch een beetje onderschat. Ik liet de blik van Joan los, keerde haar de rug toe en zette het op een lopen. De commotie achter me was bijna voelbaar. Het leek alsof ik in een van mijn nachtmerries was beland waarin je maar niet hard genoeg kon rennen. Ik hoorde lage mannenstemmen schreeuwen en het geblaf van een hond. Ik keek over mijn schouder en zag hoe een enorme herdershond werd losgelaten, die recht op mij afstoof. Wanhopig probeerde ik het beest voor te blijven, maar dat was lastig, aangezien ik geen doel had om naar toe te gaan. Ik besloot om een poging te wagen over het hek te klimmen op de plaats waar ik ook naar binnen was gekomen. Het was een van de weinige stukken zonder prikkeldraad en zonder stroom.

Toen ik het hek bereikte, had ik heel even goede hoop dat ik het zou halen, totdat ik een scherpe pijn in mijn kuit voelde waar de hond zijn tanden in had gezet. Tevergeefs deed ik nog een poging om het hek op te klimmen. Ik trapte het beest meerdere keren op zijn snuit, maar hij liet niet los. Hij leek zich alleen nog maar grimmiger vast te houden. Ik gromde van de pijn en zag hoe verscheidende mannen aan kwamen rennen. Enkele schenen met zaklampen naar mij en de hond. Eén van hen greep me stevig bij mijn schouders.

'Wat doe jij hier? Dit is verboden terrein, streng verboden terrein!'

'I-ik was verdwaald, en ik dacht...' loog ik.

Pijn klonk door in mijn stem.

'Uw hond...' mompelde ik.

Er werd een signaal gegeven en de hond liet los. Ik voelde een moment van opluchting toen ik van de druk van de tanden was verlost om vervolgens door de stekende pijn die de beet met zich meebracht ineen te krimpen. Er zat een gapend gat in mijn nieuwe broek en in het licht van de zaklampen kon ik zien hoe er een beetje bloed uit de wond sijpelde. De mannen fluisterden elkaar wat toe. Het leek erop dat ze wel vaker met verdwaalde bezoekers te maken hadden. Even had ik gehoopt dat ze me met een waarschuwing zouden laten gaan, maar die hoop werd de grond ingeboord bij het horen van het geklik van naaldhakken.

'Hij hoort bij *haar*. Breng hem naar binnen!' zei een lage stem, die aan dezelfde vrouw toebehoorde als de naaldhakken.

Had ze me herkend? Van die eerste schooldag? Of was het mijn pak dat verraadde dat ik van het schoolfeest kwam?

De man die me meesleurde, was zichtbaar geïrriteerd dat hij bijna in mijn smoes was getrapt en ging in die frustratie ruw met me om. Ik strompelde met het groepje mee, dat bestond uit - nu ik de tijd had om te tellen - drie mannen en Joan... en de hond, die me maar bleef aanstaren, hopend op een teken dat hij zijn tanden weer in mijn vlees mocht zetten. Bij de schuifdeuren haalde Joan haar pas door het apparaatje heen en tikte een code in.

'Eén van jullie gaat met hem mee. De rest kan gaan,' zei ze.

De man die me vasthield, ging mee naar binnen. De andere mannen liepen een andere kant op. De hond gelukkig ook. Wij liepen door de klapdeuren, waar ik zo lang naar had staan turen.

Ik knipperde met mijn ogen tegen de complexheid van deuren. En alles was zo wit! Het leek echt net een ziekenhuis. Het rook er ook naar. Het rook naar ontsmettingsmiddel.

Terwijl we door de gangen liepen, probeerde ik elke bocht die we namen in mijn hoofd te prenten zodat – als ik de kans zou krijgen – ik de weg terug zou kunnen vinden.

Uiteindelijk werd één van de deuren geopend. Ik werd naar binnen geduwd. In tegenstelling tot wat ik tot dan in het gebouw gezien had, was het in deze kamer een troep. Er was een tafel en er stonden een paar stoelen, het rook er naar koffie en sigaretten. Er stond een overvolle asbak op tafel, omringd door lege, aangekoekte mokken met de lepeltjes er nog in. Verder lagen er overal oude kranten en tijdschriften.

'Laten we hem hier maar zo lang houden,' besloot Joan.

De man knikte nors en duwde me op een van de stoelen. Ik keek Joan onvriendelijk aan. Ik had destijds al bedacht dat het een vrouw was die ik waarschijnlijk nooit aardig zou vinden en ze leek dat met de minuut te bevestigen.

'Carter Johnson... Ik dacht al dat het niet lang meer zou duren voordat we rechtstreeks met jou te maken zouden krijgen.'

Ik schrok ervan dat ze mijn volledige naam uitsprak, maar ik herstelde snel. Ze moest het van Lily gehoord hebben, dacht ik, mezelf geruststellend. Het was na al de tijd die we inmiddels samen hadden doorgebracht ook niet meer dan normaal dat ik af en toe ter sprake zou zijn gekomen. Maar waar was Lily? Wat dit ook voor een plaats mocht zijn, ik moest sterk zijn en de waarheid onder ogen durven komen. Ik besloot het te vragen.

'Waar is Lily?' vroeg ik. 'Ik wilde haar iets vragen.' En dat was niet eens een leugen.

'Lily is op het moment niet bereikbaar. Maar, leg eens uit, hoe ben je hier gekomen? Heeft ze je verteld waar ze woont?' vroeg Joan scherp.

'N-nee,' stotterde ik. 'Ik ben gewoon achter haar aangereden.'

'Hoe ben je hier het terrein opgekomen? Waarom heb je niet gewoon aangebeld? Wat kom je hier doen?' ging ze door.

Het leek wel een kruisverhoor! Joan had dan wel een zware stem, fysiek was ze maar een iel vrouwtje. Ik zou haar als een vrouwelijk versie van meneer Wilson kunnen zien. Door die gedachte was het makkelijker om minder geïntimideerd te raken van haar en was ik beter in staat weerwoord te geven, en zei: 'Hoor eens, ik weet niet wat hier allemaal aan de hand is, maar ik kwam hier alleen om Lily te zien! Ik heb geen idee waar je het over hebt!'

'Niet? Dus Lily heeft je niets verteld? Geen stiekeme hints? Dingen die je hierheen hebben geleid?' vroeg Joan door.

'Wat? Nee... Ik bedoel... Lily is anders, maar ze heeft me nooit iets... Wat zou ze me dan verteld moeten hebben?'

Joan zweeg even. Ze leek er niet zeker van te zijn dat ik de waarheid sprak. Dat ik Lily hier naartoe gevolgd had, daar maakte Joan uit op dat ik iets zou weten wat ik kennelijk niet mocht weten. Als het inderdaad zoiets was als een psychiatrische kliniek, dan kon ze me dat toch gewoon vertellen! Ik bedoel, natuurlijk zou het erg zijn, maar ik vond dat het allemaal wel een beetje erg overtrokken werd. Joan keek de man die me op mijn stoel hield een moment aan.

'Laten we hem maar hier houden tot we weten wat we met hem aanmoeten.'

'Hé, wacht even!' protesteerde ik.

Ik deed een poging om op te staan, maar ik werd door de man hardhandig terug op de stoel geduwd. Ze verlieten de kamer en ik hoorde de klik van een sleutel die werd omgedraaid. Misschien had ik het bij het verkeerde eind. Misschien was de vraag niet hoe ik hier binnen moest komen, misschien was de vraag hoe ik hier uit moest komen.

19. Ontdekking

Ze kwamen niet terug. Uren heb ik daar gezeten. Doodmoe was ik in slaap gevallen en werd pas wakker toen het zonlicht zich door een kleine raampje naar binnen wurmde. Ik lag in een rare houding in de stoel die ik tegen de muur aan had geschoven. Toen ik me uitrekte, was ik van top tot steen stijf. Ik had honger en het leek erop dat ze mij vergeten waren. Ik begon door de kamer te struinen. Ik weet niet hoelang ik door die kamer heb geijsbeerd voordat ik uit frustratie met spullen ben gaan gooien.

'Laat me eruit!' schreeuwde ik en bonkte met mijn vuisten op de deur, maar zelfs nadat ik er een stoel tegenaan had geslagen, zat ik nog steeds even vast als daarvoor. Ik kreeg geen reactie. Helemaal niets, wat aangaf dat mijn deur onbewaakt moest zijn. Er waren geen ramen die ik in kon gooien om uit te ontsnappen. Tenzij je het kleine raampje meetelde waar de zon doorheen viel, maar daar paste ik echt niet doorheen. Ik smeet een van de overgebleven koffiemokken tegen de muur aan diggelen. Het lepeltje dat er zojuist nog in had gezeten, viel met een tinkelend geluid aan mijn voeten. Ik keek hoe het op een van de oude kranten viel, waar de grond mee bezaaid was. Ik staarde er even naar en draaide me toen met een ruk om, om te zien of het idee dat ik zojuist had gekregen uitvoerbaar was. Ik liep naar de deur en zakte op mijn knieën om door het sleutelgat te kijken. Toen het uiteinde van de sleutel, die zich aan de andere kant bevond, mijn zicht belemmerde, ging er een golf van opwinding door me heen. Mijn plan wás uitvoerbaar! Haastig greep ik de oude krant en het koffielepeltje. Ik vouwde de krant zo dun mogelijk uit en schoof deze onder de kier van de deur door, zodat één helft zich in de gang en de andere helft zich voor mijn voeten bevond. Ik pakte het lepeltje en begon met de achterkant in het sleutelgat te porren.

'Kom op, kom op,' mompelde ik.

Ik hield mijn adem in toen ik een doffe 'plonk' hoorde. Met trillende handen trok ik de krant zorgvuldig terug, niet te langzaam, niet te snel. Ik gluurde onder de deur door en liet de krant geschokt los toen de sleutel achter de kier bleef haken. Voorzichtig probeerde ik met het achtereinde van het koffielepeltje de sleutel in zo'n positie te leggen dat hij er wel onderdoor zou kunnen. Ik deed nog een poging en schoof de krant weer langzaam in mijn richting. Een klein geluid van vreugde kwam over mijn lippen zodra ik een stukje van de sleutel onder de deur uit de kamer in zag schuiven. Met trillende vingers pakte ik hem op en stopte hem in het sleutelgat. Voorzichtig draaide ik de sleutel om. Toen de klik verraadde dat de deur open was, duwde ik de deurklink naar beneden. De sleutel stak ik in mijn zak, die zou misschien nog van pas komen. Ik stapte uit mijn kleine gevangenis en keek rond. Ik zag en hoorde niemand, alles was nog even wit als daarvoor.

Ik had goed opgelet, dus ik wist precies hoe ik moest lopen. Het kon niet ver zijn. Haastig rende ik zachtjes door de gangen, het was moeilijker dan ik had gedacht. Gelukkig was ik nog niemand tegengekomen. Als ik er nu aan terugdenk, realiseer ik me dat ik niet erg voorzichtig te werk was gegaan. Achter elke hoek had wel iemand kunnen staan, maar ik dacht er alleen maar aan hoe ik zo snel mogelijk weg kon komen.

Toen ik bijna bij de uitgang was, werd ik opgeschrikt door een enorm gebrul. Verwilderd keek ik om me heen en zocht naar een aanwijzing van waar het geluid precies vandaan kwam, maar ik zag niets en ik hoorde ook niets meer.

Aan mijn rechterhand moest volgens mij ergens de uitgang zijn, maar aan mijn linkerhand waren twee klapdeuren en die zouden me wellicht antwoord kunnen geven op het mysterieuze geluid dat ik zojuist had gehoord. Ik had een scène zoals dit zo vaak in films gezien, het was zo cliché: er was een makkelijke en een moeilijke weg en nooit had ik die belachelijke figuren begrepen die zo heroïsch voor de moeilijke weg kozen. Maar nu begreep ik ze wel! En ik begreep ook dat er niets heroïsch aan was, want als je moet kiezen tussen je veiligheid en antwoord op je vragen, is de keuze snel gemaakt. Nieuwsgierigheid wint en daar zit meer stupiditeit in dan dat je zo'n keuze kan omschrijven als een heldendaad.

Ik twijfelde in ieder geval niet en werkte mezelf door die twee klapdeuren. Ik knipperde een paar keer tegen het abnormale licht dat in de hal scheen. Ik vond de rest van het gebouw al erg steriel, maar dat was niets in vergelijking met dit gedeelte van het gebouw. Je kon de bacterievrije lucht gewoon ruiken, het had iets heel onaangenaams. Ik had het gevoel dat alleen mijn aanwezigheid hier al afdeed aan de schone omgeving. Ik voelde aan alles dat ik hier niet gewenst was.

De nacht die ik hier had doorgebracht, was mijn uiterlijk niet ten goede gekomen. Mijn jasje was gekreukt, mijn blouse hing uit mijn broek, in mijn broek zat een gat met een rand opgedroogd bloed er omheen en mijn haren stonden alle kanten op. De wond, die de hond had achtergelaten en die ik niet eens schoon had kunnen maken, begon te ontsteken en klopte. Toch wilde ik nog niet naar huis. Of ik de juiste keuze gemaakt had, wist ik niet, maar aan het einde van de gang was een deur en vanaf hier kon ik zien dat hij op een kier stond. Ik hoorde grommen en schrok. Even dacht ik dat het de hond was, maar dit geluid klonk toch echt anders. Trouwens ook een stuk milder dan die vreselijke brul die ik eerder hoorde. Stapje voor stapje liep ik verder. In de gang stonden apparaten tegen de muren die ik niet kon identificeren en voor de op een kier staande deur stond een bak met blauwe plastic zakjes, van die zakjes die voor je schoenen bedoeld zijn, zoals je ze in zwembaden en ziekenhuizen wel vaker ziet.

Met ingehouden adem begaf ik me naar de deur en voorzichtig bracht ik mijn gezicht naar de kier. Omdat het er nogal vol stond met allerlei apparaten, zag ik eerst niet zoveel. Ik wachtte even rustig af, tot ik iets zag bewegen. Ik dacht dat ik een paar artsen of verplegers in de kamer met iets bezig zag. Ze droegen lange witte jassen, hadden mondkapjes voor, plastic handschoenen aan en haarnetjes op. Ik hoorde ze met flesjes rammelen en zag dat ze een enorme spuit klaarmaakten. Misschien was het dan toch een soort ziekenhuis.

Ik zag nu ook mensen met veiligheidsbrillen op. Ik keek bedenkelijk naar het schouwspel van een paar mensen die op deze vroege ochtend al zo druk in de weer waren. Naarmate meer mensen uit de weg gingen, werd een grote monitor zichtbaar waar een hartslag op te zien was. Ik deinsde achteruit toen een enorme kooi opdoemde. Zo groot dat de kamer veel groter moest zijn dan ik gedacht had, maar dat was niet de reden dat ik achteruit deinsde. Het was om wat de kooi bevatte: een grote Siberische tijger ijsbeerde door zijn gevangenis en ik prees mezelf gelukkig dat ik me niet in die kamer bevond. Het was een enorm monster, zelfs vanaf hier. Hij had een keten om zijn rechterpoot, zodat hij niet te dicht bij de tralies kon komen. Ik was in de war. Het kon geen ziekenhuis zijn en ik betwijfelde ten zeerste of dit een soort dierenpension was, want dan zou ik meer geluid moeten horen en was alles hier niet zo spik en span geweest.

De injecties waren kennelijk voor het beest in die kooi. Ik keek nieuwsgierig toe wat er zou gaan gebeuren. Er zat een notulist bij de monitor, hij pende hevig elke verandering op het scherm op. Mijn aandacht werd getrokken door een van de andere personen: een blonde vrouw met een spits gezicht en kille, hooghartige ogen. Het was Joan, de vrouw die me sinds gisteren toch meer geïntimideerd had dan ik wilde toegeven en ik besloot dat het misschien toch beter was om weg te gaan en alles maandag gewoon aan Lily te vragen. Toch besloot ik om nog heel even te blijven. Ze liepen nu met de injecties in de richting van de kooi. De tijger brulde zodra ze dichterbij kwamen, de ramen trilden ervan, en zonder het te merken trilde ik ook. Het beest kreeg onmiddellijk een por met een stok, waar blijkbaar stroom op stond, want het deinsde verdoofd en gepijnigd achteruit. Ik kreeg er bijna medelijden mee.

De kooi ging open! Geschokt, maar geïntrigeerd bleef ik kijken. Ik stelde mezelf gerust met het feit dat ze dit vast vaker gedaan hadden. Ze stonden paraat met de stok met stroom en ik zag dat het beest goed vastgeketend was. Met ingehouden adem keek ik hoe de arts met de spuit naar de tijger toe bewoog. Pas toen ik het geluid van de krakende deur hoorde, merkte ik dat ik die beweging van de arts zelf ook had gemaakt, waardoor de deur waar ik tegenaan stond verder open was gegaan.

Even was het stil, maar ik had de stilte en de concentratie doorbroken. Iedereen keek in mijn richting. Ik stond in shock in de opening. Joan sloeg een woedende kreet en twee mannen stormden naar me toe en grepen me vast. Er ontstond een hoop commotie, ik voelde hoe ik naar binnen werd gesleept en een dreun in mijn gezicht kreeg. Het gebrul dat ik toen hoorde, was niets vergeleken met wat de tijger daarvoor had laten horen. De woede die het beest uitstootte was bijna voelbaar.

Ik was duizelig van de klap en het duurde even voordat ik me realiseerde wat er allemaal gebeurde, maar toen ik in staat was mijn ogen weer te openen, zag ik dat het beest compleet was doorgeslagen. Het rukte als een bezetene aan de ketting, die opeens helemaal niet zo stevig leek, en hapte gevaarlijk naar de persoon met de stroomstok, die het dier onder controle probeerde te houden. Ik werd op een stoel gedrukt en mijn neus bloedde hevig. Ondertussen hoorde ik hoe het beest bleef brullen. Ik zat te schudden op mijn stoel, uit angst, omdat ik maar enkele meters van de kooi verwijderd was. Mijn eerste impuls was om er zo snel mogelijk vandoor te gaan, maar toen ik omhoog rees, ving ik nog een klap op. De tijger raakte buiten zinnen. Ik zakte terug in de stoel. Vaag hoorde ik iemand schreeuwen dat de ketting gebroken was.

Ik opende mijn ogen en keek in afgrijzen toe hoe het enorme beest de man met de stroomstok tussen zijn kaken had genomen en tegen de muur aan slingerde. Ik klemde mijn handen zo stevig rondom de poten van de stoel dat mijn knokkels er wit van werden. Toen draaide het beest zich naar mij om.

Het ging allemaal zo snel, dat ik niet eens de tijd had om te schreeuwen. Het beest zette zich af en sprong mijn richting uit. In een reflex beschermde ik mijn gezicht met mijn armen en kneep mijn ogen dicht, maar pijn bleef uit. Voorzichtig opende ik mijn ogen en ik zag hoe de personen die me op mijn stoel hadden gehouden haastig achteruit gegaan waren. De tijger stond met zijn rug naar me toe en liet nogmaals een oorverdovende brul horen.

Iedereen was muisstil, niemand bewoog en ze staarden allemaal naar mij en de tijger, die voor me heen en weer begon te ijsberen, als een soort bewaker. Ik vreesde dat dit een soort verdediging van zijn prooi was. Ik durfde amper te ademen en ik stopte er helemaal mee toen het beest zich langzaam naar mij omdraaide.

Schuddend van de adrenaline en paniek staarde ik in de ogen van het beest, die nu op mij gericht waren. Voor een fractie van een seconde had het iets kalmerends, die grote ogen, maar toen het hoofd dichterbij kwam, probeerde ik zo ver mogelijk in mijn stoel te kruipen. Mijn leven ging in een flits aan me voorbij. Ik sloot mijn ogen. Ik voelde de snuit van het grote beest tegen mijn borst duwen. 'Onmogelijk...' hoorde ik mompelen.

Voorzichtig opende ik mijn ogen weer, mijn mond zakte half open van verbazing toen het enorme monster zijn hoofd tegen me aan schuurde, als een enorme kat die kopjes gaf. Dit moest een soort van vreemde droom zijn. De tijger keek me aan. Heel voorzichtig en met trillende handen liet ik mijn hand door de vacht glijden. Het beest leek ervan te genieten en drukte z'n kop weer tegen me aan. Net zoals ik, leek niemand te bevatten wat hier gebeurde en ze bleven maar verbaasd mompelen. Ik was niet bang meer, het was allemaal te onrealistisch om nog langer bang te zijn, maar toen stak Joan heel onverwachts een van de injecties in de tijger. Het beest sloeg een brul, waardoor ik bijna van mijn stoel viel.

'Grijp haar!' riep Joan.

Er kwam weer beweging in de groep mensen die haastig aan het beest begon te sjorren en het richting de kooi duwde. Ze leken er nu opeens niet meer bang voor te zijn. Ze kregen het beest nu met gemak de kooi in, het vocht niet terug. Ze sloten de deur en staarden met zijn allen afwachtend naar de tijger. Voor een moment leken ze mij te vergeten. Er gebeurde niets en ik vroeg me af of ze de tijger met de injectie hadden verdoofd.

Wachtend op wat Joan met mij van plan was, dwaalden mijn ogen door de ruimte. Boven de kooi hingen foto's, netjes op een rij naast elkaar. Foto's van een tijger, van welp tot volwassen monster. Onder de foto's van de tijger waren fotootjes van een mens geplakt die mee leek te groeien met de foto's van de tijger. Toen ik nog eens goed inzoomde op de foto's, zag ik dat het foto's waren van een meisje met roodbruine krulletjes en grote, groene ogen, net zoals de tijger boven haar. De foto's van het meisje liepen door tot aan de laatste foto van de tijger en naarmate ik verder keek, hoe meer ik haar herkende: de koppige gelaatstrek om haar mond, de diepe droefheid in haar ogen. De laatste foto eindigde met het meisje waar ik zojuist mee naar het bal was geweest.

Ik schrok op toen de tijger begon te brullen, op de grond spartelde en hevig begon te trillen. Ik keek naar de tijger, het beest dat ik zojuist nog zo enorm had gevonden en bijna verafschuwd had om zijn gevaarlijke uiterlijk.

Tot mijn verbazing zag ik dat zijn grote poten van vorm veranderden en dat zijn staart leek te verdwijnen in zijn stuitje. De vacht van het dier veranderde van structuur, het meeste haar leek zich te verzamelen op zijn kop. Ik hoorde hoe het gebrul aanhield en tegelijkertijd meer op geschreeuw begon te lijken. Ik hapte naar lucht en werd vreselijk duizelig.

Ik had niet in de gaten gehad dat ik mijn adem in had gehouden, het leek alsof er maar een paar seconden voorbij waren. In de kooi lag nu een meisje, languit, plat op haar buik, met haar gezicht op haar armen. Haar losse haar lag uitgespreid over de grond en deels over haar naakte lichaam. De keten zat losjes om haar bovenarm. Ik wilde niet dat het meisje haar hoofd optilde. Ik wilde niet dat ze onthulde wie ze was.

Ik probeerde mezelf wakker te schudden, het tot me door te laten dringen dat het onmogelijk was wat ik zojuist had gezien of dacht gezien te hebben. Het moest een droom zijn geweest, dit was onmogelijk.

Het meisje rees op, langzaam en vernederd. Ze had geen kleren aan. Haar grote, groene ogen schoten de kamer door. Ze trok haar knieën op en sloeg haar armen er omheen, zodat niets van haar lichaam zichtbaar zou zijn.

Haar monitor werd bekeken om haar hartslag te checken. Opeens begreep ik het. Ik begreep alles. Het ziekenhuis was geen ziekenhuis maar een laboratorium. De artsen waren geen artsen, maar wetenschappers. En Lily... Lily was het experiment.

Ik liet een kleine kreet van verbazing horen en Lily's ogen schoten naar mij, bedroefd en gepijnigd. Haar ogen...

Door de anderen werd ik nog steeds genegeerd. Een van de wetenschappers blafte naar Lily dat ze naar voren moest komen. Ik voelde de razernij door mijn lichaam stromen. Ik vroeg me af of ze deze transformatie elke dag meemaakte, al zolang ik haar kende. Ik keek naar de foto's. Misschien zelfs haar hele leven.

Lily bleef in het hoekje van haar kooi zitten. Joan ging door haar knieën en ik dacht dat ze zich ging ontfermen over de man die gewond was geraakt toen de tijger hem gebeten had. Maar Joan greep naar de stroomstok en liep naar de kooi.

'Nee!' schreeuwde ik toen ze Lily een stroomstoot gaf. Ik sprong op. Ik had een waas voor mijn ogen zo kwaad was ik. Ze behandelden haar nog steeds als een dier, ook al had ze nu een menselijke vorm aangenomen. Ik was opgesprongen en van plan me op Joan te werpen en die stroomstok door haar strot te duwen, maar ik werd vastgegrepen. Alleen dit keer liet ik me niet zo makkelijk in een hoekje duwen. Niet deze keer en ik sloeg hard terug. Joan draaide zich om naar mij en siste: 'Ik had moeten weten dat jij problemen zou opleveren, Carter Johnson.'

'Laat haar eruit! Je kan iemand niet zo behandelen! Lily!' riep ik, terwijl er nog steeds aan me gesjord werd.

Lily kromp ineen bij het horen van haar naam. Joan richtte zich tot de rest: 'We kunnen het risico niet nemen dat hij het onderzoek in gevaar brengt. Hij weet te veel, heeft te veel gezien.'

Ik knipperde van schrik met mijn ogen en riep: 'Mijn vader zal weten dat ik niet thuisgekomen ben! Hij is waarschijnlijk al naar me op zoek, met de politie. Als jullie me iets aandoen, zal hij weten wie het heeft gedaan!' blufte ik.

Joan liet een onaangename lach horen, die me erg machteloos deed voelen: 'Jouw vader? Naar jou op zoek? Waarom zou hij? Doe je niet altijd wat je zelf wil, Carter? Sinds je moeder dood is, is het leven niet meer zo'n pretje thuis, hè. Zou je vader zich niet pas na een week zorgen gaan maken? Of waarschijnlijk dan ook nog niet.'

Ik voelde hoe ik verslapte in de greep van de twee mannen die allebei één arm van me vasthielden. Hoe wist ze dit? Ze wisten alles. Ik keek naar Lily, dit keer keek ze niet terug, enkel naar de grond. Er moest meer geld in dit project zitten dan ik me waarschijnlijk voor kon stellen. Toen ze in de gaten kregen dat ik zoveel met Lily optrok... Ik was gevolgd, bespioneerd. Nagetrokken waarschijnlijk.

'En je broertje, Tyler heet hij toch? Misschien is hij de enige die zich zorgen maakt, maar dat is snel verholpen,' ging Joan ongenadig door.

'Jij, vieze, vuile...' Ik begon weer aan mijn menselijk boeien te rukken.

'Laat mijn broertje hier buiten!' schreeuwde ik buiten zinnen.

'Sluit hem op,' zei Joan kalm, niet onder de indruk van mijn tirade.

'Nee, wacht…' Lily rees een stukje omhoog en keek angstig in mijn richting.

'Doe hem geen pijn,' zei ze met trillende stem.

'Stil jij!' snauwde Joan.

Ik keek naar Lily, probeerde haar op de een of andere manier te laten weten dat het wel goed zou komen, maar ik weet niet of het aankwam want ik werd de kamer uitgesleurd en werd teruggebracht naar het koffiekamertje.

'Waar is die verrekte sleutel?' vroeg een van de mannen geïrriteerd, terwijl hij rondkeek.

Ik voelde de sleutel in mijn zak branden.

'Hoe ben je hier uitgekomen?' vroeg de andere man, terwijl hij me door elkaar schudde.

'H-hij bleek niet op slot te zitten,' loog ik.

'Wat zijn dit nou weer voor stommiteiten! Hebben we nog een kamer met een slot én een sleutel?'

'We kunnen ook een stoel onder de klink zetten,' stelde de andere man voor.

'Laten we dat maar doen,' bromde de ander weer.

Ik werd weer teruggeduwd in het bijna vertrouwde koffiekamertje. Toen ze eruit liepen, namen ze een van de stoelen mee en ik hoorde hoe hij aan de andere kant van de deur onder de klink werd gezet. Nu had ik niets aan die sleutel van mij. In een poging de stoel te verschuiven, beukte ik tegen de deur, maar ik kreeg er alleen maar blauwe plekken van. Ik moest weg. Ver weg van de waarheid. De waarheid waarvan ze had gezegd dat als ik die wist, ik die liever niet zou willen weten.

Ik was buiten mezelf van woede. Ik probeerde de beelden die ik zojuist had gezien van mijn netvlies te bannen, maar ze bleven terugkomen. Ik leunde tegen de muur aan en ik gaf over, van alle indrukken die ik vandaag had gekregen, maar zelfs dit gaf niet aan hoe ik me voelde. Nog nooit had ik me zo machteloos gevoeld. Ik leunde met mijn rug tegen de deur, zakte op de grond en huilde. Ik huilde om het onrecht dat haar werd aangedaan, ik huilde om haar pijn, ik huilde om het feit dat ik haar niet kon beschermen. Ik huilde omdat ik het begreep. Ik huilde om wat ze was.

Het konden uren, maar ook dagen zijn geweest, maar uiteindelijk begonnen mijn oogleden te trillen van het huilen en van de slaap en zonk ik weg in onrustige dromen over Lily, tijgers en wetenschappers. Ik had in mijn onderbewustzijn de constante angst dat de deur open zou gaan en dat ze me zouden vermoorden om wat ik gezien had. Of misschien zouden ze me wel laten gaan, maar me met Tyler bedreigen als ik iets zou vertellen van wat ik had gezien. Prettig zou het sowieso niet worden.

Ook al was de harde realiteit constant voelbaar – zelfs in mijn dromen – het was toch beter om te slapen dan wakker te zijn. Het verdoofde als het ware. Mijn slaap was echter zo ondiep dat ik van het geringste geluidje wakker schrok. Ik opende mijn ogen toen ik geluid hoorde aan de andere kant van de deur. Ik ging zitten, ik was namelijk op de grond in slaap gevallen en het kamertje stonk naar mijn eigen kots. Ik kroop een beetje achteruit, beseffend dat het moment nu gekomen was waar ik zo voor gevreesd had.

Toen de deur opende, was het niet Joan of een van de mannen die in de opening stond. Het was Lily. Bleek en vernederd, maar ze was er en ik strompelde omhoog.

'Lily,' mompelde ik ongelovig, 'Lily.' Ik struikelde naar haar toe en sloot haar in mijn armen en ze hield me stevig vast en snikte één keer heel zachtjes.

'Kom, we hebben niet veel tijd,' gaf ze aan en trok me mee.

Ik liep verdwaasd achter haar aan.

'Wat was dat allemaal? Wat is er gebeurd? Heb ik het gedroomd?' vroeg ik wazig.

Ze gaf geen antwoord, maar trok me mee naar dezelfde deur als waar ik het gebouw binnen was gekomen. Ze gaf me een van de pasjes die je nodig had om naar binnen en naar buiten te komen. Ik zag dat deze van Joan was. Lily moest hem gestolen hebben.

'Hiermee kun je het hek uit,' zei Lily.

'Ik ga niet zonder jou,' zei ik vastbesloten.

'Carter, ik kan niet…'

'Nee, luister, als jij hier blijft, denk je dat ik je dan ooit nog terugzie? Luister, ik weet niet wie deze mensen zijn, maar ik denk dat jij me als geen ander kan vertellen dat als ik ontsnap jij hier niet lang meer zal blijven. En dan wat, Lily? Dan wat?' Ik keek haar wanhopig aan en hield haar arm vast.

Ze keek me even aan en toen nam ze het pasje en opende de deur. Ze duwde me naar buiten en… kwam achter me aan. Ik glimlachte opgelucht. Ik moest even wennen aan het directe zonlicht, dat ik het hele weekend niet had gezien.

'We moeten rennen,' zei ze en dat deden we. We renden naar het hek en ondertussen zocht ik in mijn zakken naar mijn autosleutels. Bij het hek haalde Lily het pasje er doorheen. Ik kon mijn auto zien staan, hij stond er nog.

Gelukkig.

'Welke dag is het vandaag, Lily?' vroeg ik.

'Het is maandag,' antwoordde ze en ik trok haar mee richting mijn auto en hielp haar erin en startte hem.

Ik scheurde er vandoor, ook al wist ik de weg niet. Maar ik wist wel dat we hier vandaan moesten. En snel.

20. Uitleg

Lily wist precies hoe we moesten rijden om bij school uit te komen en vanaf daar wist ik de weg weer. We zeiden niets tegen elkaar. We wisten niet waar we moesten beginnen. Ik zag hoe leerlingen aanstroomden om naar school te gaan en het was makkelijk te geloven dat de laatste twee dagen niet echt gebeurd waren. Ik zou naar huis gaan. Daar moesten we veilig zijn. Tot nu toe waren we nog niet gevolgd. Tot mijn irritatie begon het te regenen en mijn auto had geen dak.

'Sorry,' mompelde ik tegen Lily, die net als ik helemaal doorweekt raakte.

'Ze noemen het genetische manipulatie,' zei ze plotseling.

Ik keerde mijn hoofd naar haar toe. Ik zei niets, maar luisterde naar wat ze wilde vertellen en probeerde mijn nieuwsgierigheid en de vragen die ik had te onderdrukken.

'Iets minder dan achttien jaar geleden arriveerden ze in ons land. Hier wordt het Azië genoemd. Ik was nog maar een welp. Ze kwamen met die dingen... met die geweren.'

Ze draaide haar hoofd langzaam naar me om, maar durfde me niet aan te kijken.

'Ze probeerde mij en mijn broertje te vangen. Mijn moeder wist hem in veiligheid te brengen. In de tussentijd hadden ze mij bijna te pakken.'

Haar ogen stonden vaag en ver weg toen ze terugdacht aan dit verre verleden.

'Mijn moeder kwam terug. Ze probeerde me te beschermen. Ze viel hen aan omdat zij ons aanvielen.'

Het klonk in Lily's stem door dat ze haar biologische moeder probeerde te verontschuldigen.

'Toen schoten ze. Een oorverdovende knal en toen was ze dood.'

Lily slikte.

'Ze stopten me in een kooi, en brachten me van plaats naar plaats en uiteindelijk kwamen we hier. De eerste transformatie van tijger naar mens kan ik me amper herinneren. Ik zag de wereld opeens anders. Mijn gedachten werkten op een andere manier, maar het was vooral één groot, zwart gat.'

Ik legde voorzichtig en troostend mijn hand op haar been. Ze sloeg hem niet weg.

'Ze hielden me mens voor een lange tijd. Eerst begreep ik niets van wat ze zeiden of wat ze wilden. Naarmate ik ouder werd, begreep ik meer van hun taal. Ze leerden me praten als een mens, bewegen als een mens en denken als een mens en af en toe veranderden ze me terug in een tijger, dat wat ik hoor te zijn. Elke keer weer denk ik dat ik zal sterven van de pijn die het proces met zich meebrengt, maar elke keer kom ik er toch levend doorheen.'

De regen drupte van haar gezicht en ongetwijfeld ook van de mijne. Ik stopte de auto, parkeerde aan de rand van een rustige weg. Ik kon het even niet opbrengen om verder te rijden. Ik keek achterom en zag dat we nog steeds niet gevolgd werden. Ik probeerde haar vast te pakken, maar ze deinsde achteruit.

'Blijf uit mijn buurt! Heb je niet gehoord wat ik je zojuist heb verteld? Ik ben een dier! Ik ben een monster.'

'Dat is niet waar,' zei ik, terwijl ik haar probeerde te sussen.

'Jawel, ze zeggen het me elke dag. Ik ben een beest dat nergens goed voor is. Ik val mensen aan, Carter, ik probeerde je broertje te vermoorden.'

'Het maakt me niet uit. Je hebt het niet gedaan.'

'Ik ben gevaarlijk!'

'Kan me niet schelen.'

Ik greep haar vast en kuste haar. Ik nam haar hoofd tussen mijn handen, zodat ze dit keer niet kon ontsnappen. Ik streek haar natte haren uit haar gezicht en langzaam veranderde haar tegenstribbeling in gewilligheid. Ze klemde haar handen in mijn haar en trok me dichter tegen zich aan. Ik proefde haar tong en haar lippen en uiteindelijk liet ze me los en viel snikkend in mijn armen.

'Wat er ook gebeurt, ik blijf bij je,' fluisterde ik in haar oor.

Ze greep zich dankbaar aan me vast en verborg haar gezicht in mijn borst.

'Je mag het nooit aan iemand vertellen,' zei ze.

'Ik beloof het,' zei ik.

Ik voelde langzaam de opluchting door me heen stromen. Alle muren tussen ons waren zojuist neergehaald. Er waren geen geheimen meer die tussen ons in stonden.

'We kunnen samen weggaan,' stelde ik voor. 'Ergens een bestaan opbouwen waar ze ons niet kunnen vinden.'

'Onmogelijk,' zei Lily.

'Waarom?' vroeg ik.

'Ik heb elke achtenveertig uur een injectie nodig om mijn menselijke vorm te behouden,' zei ze droog.

'O,' bracht ik uit, 'dat maakt dingen iets ingewikkelder.'

Ze knikte. Ik kreeg opeens een briljant idee.

'Wat als ik je naar huis breng?' vroeg ik.

'Wat?' vroeg ze verward.

'We pakken het eerste het beste vliegtuig naar Azië, daar hebben we echt geen twee dagen voor nodig. Jij neemt daar je... oorspronkelijke vorm aan en je bent vrij,' zei ik.

Ondanks dat het een goed plan was, voelde ik me erg misselijk worden bij de gedachte afscheid te moeten nemen van Lily.'

'Dat klinkt erg makkelijk,' bekende ze.

'Er is alleen één ding.'

'Wat dan?' vroeg ik.

'Carter, tijgers worden niet ouder dan twintig jaar. Ik voel het nu al als ze me mijn tijgervorm aan laten nemen. Ik ben voor een tijger gezien oud en dat zou betekenen dat ik, zodra ik ontsnap, nog minder dan twee jaar te leven heb.'

Dat compliceerde dingen inderdaad.

'Maar soms denk ik dat het het waard is,' zuchtte ze.

'Waarom doen ze dit?' vroeg ik.

'Waarom zouden ze dieren in mensen willen veranderen?'

'Ze zeggen om het op een dag andersom te kunnen, mensen in elk willekeurig dier te kunnen veranderen, zodat ze meer over het dierenrijk te weten kunnen komen op een manier die nooit voor mogelijk werd gehouden.'

'Heb jij ze dingen kunnen vertellen die ze nog niet wisten?' vroeg ik.

Ze schudde haar hoofd.

'Het duurde jaren voordat ik fatsoenlijk kon praten. Tegen die tijd was ik bijna alles waar ze naar vroegen al vergeten, behalve dat ze mijn moeder hebben vermoord, dat kan ik me nog steeds goed herinneren. Ze proberen de transformatie steeds beter te beheersen en spuiten mij van alles in om de transformatie van mens naar tijger te laten plaatsvinden voordat de achtenveertig uur voorbij is. Het is ze tot nu toe niet gelukt.'

'Dit kunnen ze toch niet doen? Heb je het nooit geprobeerd iemand te vertellen? Met iemand in contact te komen om te zeggen wat ze met je doen?'

Ze lachte een vreugdeloze lach.

'Als ze dat merken, word ik gestraft.'

Ze wees op de littekens op haar arm.

'En zeg nou zelf, wie zou me geloven?'

Ze had gelijk. Ik had het met mijn eigen ogen gezien en geloofde het bijna niet.

'Waarom viel je Tyler aan?' vroeg ik.

Ze kromp ineen.

'Mijn transformatie brengt twee conflicten met zich mee. De eerste is dat ik soms niet goed besef of ik me in mijn menselijke of dierlijke vorm bevind. Of ik hier in dit leven ben of in mijn vorige. Dat heb je een tijdje terug zelf ondervonden. Ik herleefde toen de dood van mijn moeder opnieuw,' zei ze.

Het was gestopt met regenen en de zon begon voorzichtig te schijnen.

'Het tweede is dat ik in mijn menselijke vorm nog steeds eigenschappen van een tijger bezit, dus ook mijn instincten.'

Dat verklaarde waarom ze Jenniffer had aangevallen.

'Wat daar onder valt, is dat ik het meeste van wat jullie eten niet kan uitstaan,' zei ze wat verlegen.

'Dat heb ik gemerkt,' glimlachte ik.

'Meestal word ik voor en na school gevoed met iets wat ik wel lekker vind.' Ze bloosde lichtjes en ik vroeg niet wat dat was.

'De dag dat jij me mee naar je huis nam, hadden ze besloten om me op een dieet te van alleen mensenvoedsel te zetten. Ik moest er toch een keer aan wennen. Het meeste at ik niet en de andere dingen spuugde ik later weer uit en wat ik mee naar school kreeg, heb ik niet aangeraakt.'

Ze rilde even, omdat er een wind opstak die tegen onze natte kleren blies. Ik hield haar iets steviger vast.

'Het resultaat was dat ik die dag omkwam van de honger en toen was je broertje daar. Hij rook niet zoals jij of zoals de meeste mensen op school. Hij rook natuurlijk, had niet dat extra geurtje dat me altijd zo misselijk maakt.'

'Dingen als parfum en deodorant,' zei ik.

Ik haalde mijn neus een beetje walgend op bij het idee dat Tyler nog steeds geen deodorant gebruikte.

Ik herinnerde me ons eerste gesprek nog maar al te goed. Ze vond dat ik stonk. Ik lachte onhoorbaar.

'Precies, en hij had dat niet en toen... toen kon ik me niet meer inhouden. Ik moest gewoon eten,' bekende ze beschaamd.

Ik begreep het nu.

'Sindsdien hebben ze me nooit meer gedwongen om jullie voedsel te eten,' zei ze.

'Je snelheid, komt dat ook vanwege je tijgergenen?' vroeg ik.

Ze lachte een beetje.

'Ja, maar ik ben lang niet zo snel als eerst. Ik ben gewoon net iets sneller dan de gemiddelde mens, maar ik weet zeker dat er mensen zijn die sneller zijn dan ik,' zei ze.

'Is er nog meer dat je kan of beter kan dan wij?' vroeg ik nieuwsgierig.

Ze liet een rommelend geluid uit haar borst horen en ik begon te lachen.

'Elke keer als ik je hoorde grommen, gaf ik je maag de schuld,' zei ik.

Ze glimlachte.

'Nu weet je het,' zei ze, terwijl ze haar armen om mijn middel sloeg en haar hoofd op mijn borst legde.

Ik streelde haar haren.

'Je moet me het uitleggen. Uitleggen wat al deze menselijke emoties zijn. Ik begrijp vaak zelf niet wat ik voel,' zei ze.

'Wat voel je nu?' vroeg ik.

'Ik vind het fijn als je me zo vasthoudt, dan loopt er een tinteling door mijn hele lichaam heen.'

Ze hield me nog wat steviger vast.

'En dan zijn er nog deze kriebels in mijn buik.'

Het was de vreemdste liefdesverklaring die ik ooit had gehoord.

'Dat zullen de vlinders zijn,' zei ik.

'Maar ik heb helemaal geen vlinders ingeslikt!' riep ze verontwaardigd uit.

Ik begon te lachen. Ik stopte haar rode haarlok achter haar oor.

'Probeer je me te vertellen dat je een beetje verliefd op me bent?' vroeg ik plagend.

'Wat dat ook weer mag zijn, ik zou er niet op rekenen,' zei ze koppig.

Ik grinnikte.

'Er is een simpele test om daarachter te komen,' zei ik.

Ik kuste haar wang.

'Hoe is dit?' vroeg ik.

Ze beet op haar lip.

'Best.'

Ik glimlachte en kuste haar andere wang.

'En dit?'

'Hetzelfde.'

'En dit?'

Ik kuste haar lippen weer en ze antwoordde niet langer met woorden.

21. Onverwachts

We moesten onze reis al weer snel hervatten. Ik was doelloos, wist ook niet wat ik moest doen. De ernst van de situatie begon meer en meer tot me door te dringen. Over minder dan achtenveertig uur zou ze veranderen in een tijger, voorgoed, want ik kon haar niet terugbrengen naar het laboratorium.

Ik merkte dat ik automatisch naar huis was gereden en ik zuchtte diep, omdat de beslissing die ik had gemaakt mijn borst ineen deed krimpen. Mijn huis doemde op en ik vroeg me af hoe het met Tyler ging, of hij erg bezorgd was.

Ik parkeerde de auto op de oprit en nam Lily's gezicht tussen mijn handen en zei: 'Luister, we hebben niet veel tijd. Ze zullen ons komen zoeken. En als ze je niet vinden, zul je al snel weer een tijger zijn. Ik breng je terug, oké? Jij gaat terug naar waar je vandaan komt.'

Haar ogen verwijdden een moment.

'Azië?' vroeg ze. Het woord gleed over haar lippen, als iets prachtigs, maar tegelijkertijd zo beangstigend. Ik knikte, maar zij schudde haar hoofd.

'Nee,' riep ze, 'ik wil niet bij je weg!'

Ik kreeg een brok in mijn keel en ik wilde haar niet weg, maar we hadden geen andere keus en ik weet dat zij dat diep van binnen ook wist. Ik schudde haar zachtjes door elkaar.

'Lily, wat denk je dat ze gaan doen? Ze weten waarschijnlijk al dat we weg zijn. Ze zullen ons komen zoeken en over een tijdje zul je weer een tijger zijn, en dan wat? We zullen sowieso worden gescheiden, Lily, en ik kies voor de optie die het beste is voor jou. Je gaat nog twee jaar ontzettend gelukkig leven als wat je hoort te zijn!'

Ze huilde, maar sprak me niet tegen. Ze knikte zelfs. Ik drukte een kus op haar lippen.

'Hoelang hebben we voordat je transformeert?'

Ze slikte en probeerde na te denken in deze verwarrende toestand.

'Ik weet niet, gisteravond heb ik de injectie gekregen dus zesendertig, dertig uur?' zei ze, terwijl ze haar tranen wegveegde.

Dat moest genoeg zijn. Ik knikte, kuste haar voorhoofd en stapte uit de auto.

'Blijf hier, ik ben zo terug.' Ik sloeg de deur dicht en liep het huis binnen, regelrecht naar het laatje waarin de creditcards voor noodgevallen lagen, en dit, dit was een noodgeval. Ik trok het laatje open en begon erin te rommelen.

'Wat doe jij hier?'

Betrapt draaide ik me om.

'Wat doe jij hier?' kaatste ik dezelfde vraag terug toen ik mijn vader zag.

Hij gaf geen antwoord.

'Hoor jij niet op school te zitten? Of spijbel je weer eens? Het zou niet de eerste keer zijn! Waar ben jij dit weekend trouwens geweest? Ik meen me te herinneren dat we afgesproken hadden dat je dan zou laten weten waar je bent. Of dacht je dat ik het toch niet zou merken? En wat heb je daar?' vroeg hij wijzend naar de creditcards.

Dit was de meest slechte timing van mijn vader om thuis te zijn.

'Niets,' loog ik, 'ik ben alweer weg.'

'Carter, jij gaat helemaal nergens heen totdat je mij die creditcards terug hebt gegeven!'

'Pap, het is een noodgeval! Ik moet... ik moet iemand naar het vliegveld brengen en...'

'Ik ga niet eens de moeite nemen om naar die smoesjes te luisteren!' brulde hij.

Ik had hier geen tijd voor. Ik had geen tijd voor deze discussie.

'Sorry, pap,' zei ik en liep naar de voordeur.

'Carter...' hoorde ik mijn vaders zware stem, 'als je nu die deur uitloopt, hoef je niet meer terug te komen.'

Ik bleef even staan, met mijn rug naar hem toe. Een moment van twijfel was het niet. Eerder een moment van ongeloof of misschien om hem een kans te geven zijn woorden terug te nemen of om de situatie tot me door te laten dringen. Er was de afgelopen vierentwintig uur ook zoveel gebeurd! Ik antwoordde niet, er viel niets te zeggen en ik liep weg en sloot de deur achter me.

Ik liep terug naar Lily en stapte in. Ze keek me aan, maar vroeg niets. Ik startte de auto en reed weg.

Het was vreemd om te zien hoe de wereld om je heen gewoon verder leek te gaan, terwijl je op zo'n moment bijna verwacht dat alles stil wordt gezet. Lily legde haar hand op mijn arm. Ik keek opzij en vond tot mijn verbazing paniek op haar gezicht.

'Wat?' vroeg ik.

'Ze zijn er,' bracht ze uit en ze keek over haar schouder.

Ik keek in mijn spiegel en zag hoe een zwarte auto ons naderde. Ik vloekte binnensmonds en trapte het gaspedaal in. Ik probeerde ze af te schudden, maar de doorgeslagen wetenschappers bleken sneller te zijn dan ik had verwacht.

'Schiet op, Carter!' riep Lily paniekerig toen het erop leek dat ze ons in zouden halen.

'Rij jij of rij ik? Hou je hoofd binnenboord!' riep ik haar toe, toen ze haar nek gevaarlijk ver uitrekte om te kunnen zien hoeveel voorsprong we hadden. Ik scheurde een tunnel in en prees de hemel dat Lily haar riem om had. De adrenaline gierde door mijn lijf en ik hield het stuur stevig vast om te voorkomen dat mijn handen zouden gaan trillen.

'Hou je goed vast!' riep ik. Zodra we de tunnel uitkwamen, gooide ik het stuur naar rechts en reed een smal pad op. Lily keek achterom. Ik ook. De zwarte auto was niet meer te zien. Ik haalde opgelucht adem en Lily liet zich trillend terug in de stoel zakken. Ik legde mijn hand even op haar knie.

'Ik moet overgeven,' meldde ze droog.

Geschokt bracht ik de auto tot stilstand en Lily stapte uit. Ik luisterde bezorgd hoe ze in de berm overgaf, slikte even en hoopte dat mijn maag sterk genoeg zou zijn om alles binnen te houden. Ze stapte weer in de auto en veegde met een vies gezicht haar mond af. Ik startte de auto en we reden verder, iets rustiger dit keer.

'Hoe wisten ze waar we waren?' vroeg ik mezelf hard op af.

Ik keek Lily's richting uit en haar gezicht stond bedenkelijk.

'Ik weet het niet zeker,' zei ze.

'Maar je weet wel iets?' vroeg ik.

Ze schudde haar hoofd onovertuigend, maar ik vroeg niet verder.

'Ik moet wat eten,' zei Lily toen haar maag weer tekeerging.

'Lily, daar hebben we echt geen tijd voor,' protesteerde ik.

'Ik moet, Carter! Ik wil niet dat jij mijn volgende maaltijd bent!' kaatste ze terug.

'Al goed, al goed,' mopperde ik en parkeerde voor het eerst het beste restaurant.

'Schiet op, we hebben niet veel tijd.'

We haastten ons de auto uit en gingen naar binnen. Ik zag meteen dat we een veel te chique tent hadden uitgekozen voor twee tieners die op de vlucht waren. Het was zo'n restaurant waar je rustig gaat zitten om van je driegangenmenu te genieten, waar je drie uur voor uittrekt. We hadden helemaal geen drie uur! Een van de medewerkers benaderde ons. Enige afkeer speelde rond zijn lippen. We moesten er ook nogal rommelig uitzien.

'Kan ik u helpen?' Zijn woorden waren beleefder dan zijn toon.

'We willen graag wat eten,' antwoordde ik, terwijl ik nerveus uit het raam keek om te zien of we nog steeds veilig waren.

'Voor hoeveel personen?' vroeg de ober. Het nare trekje om zijn mond bleef.

'Twee,' antwoordde ik.

'Als u een ogenblikje heeft,' zei hij en liep weg. Ik was er redelijk zeker van dat hij zijn manager ging halen om uit te vinden of hij ons de toegang kon weigeren.

'Ik denk dat we beter ergens anders heen kunnen gaan,' fluisterde ik Lily toe.

'Dat is goed,' zei ze tot mijn verbazing, 'maar ik moet wel even naar het toilet.' Ze liep weg en volgde de bordjes met 'toilet' erop. Ik dacht te zien dat ze in het voorbijgaan iets van een tafel greep, maar ik kon het niet met zekerheid zeggen. Zenuwachtig wipte ik heen en weer op mijn voeten, wachtend op Lily's terugkomst en ondertussen het parkeerterrein goed in de gaten houdend. De ober keerde eerder terug.

'Het spijt me, meneer. Ik heb even overleg gepleegd, maar dit is een fatsoenlijk restaurant en ik ben bang dat ik de toegang aan u en uw vriendin moet weigeren, totdat u beide... meer... ehhh... toonbaar bent,' legde hij zo kalm mogelijk uit.

Ik zou het hem niet moeilijk maken.

'Dat is prima,' zei ik snel, 'we wilden toch net...'

De zwarte auto die ik door het raam zag, belette me om mijn zin af te maken. Hoe hadden ze ons nu weer gevonden! Er stapten twee mannen uit en ze leken even afgeleid te zijn door iets wat ze in hun hand hielden. Ik duwde de ober aan de kant, negeerde zijn verwensingen en begon te rennen. Zonder te kloppen, stormde ik het damestoilet in, waar – behalve Lily – op dat moment gelukkig niemand aanwezig was.

'Lily!' schreeuwde ik en bonkte op verscheidene hokjes. Ik hoorde zachtjes snikken.

'Lily...' Ik duwde het deurtje open van waarachter het geluid vandaan kwam, Gelukkig zat de deur niet op slot. Ik deinsde achteruit en staarde geschokt naar Lily. Ze was omringd door bloed en naast haar lag een mes, het voorwerp dat ze van de tafel gepakt moest hebben. De rug van haar rechterhand had ze opengesneden.

'Wat heb je gedaan?' vroeg ik vol afschuw.

Zie hield iets omhoog, iets kleins. Het leek op een soort chip.

'Waarom ze ons steeds weten te vinden,' bracht ze tussen haar snikken door

194

uit. 'Ik wist dat er iets zat.'

Een zendertje. Dus daarom wisten ze ons iedere keer te vinden. Om dat ding te verwijderen had Lily nu haar hand opengesneden. Mijn lieve, dappere Lily. Ik hielp haar overeind.

'Ze zijn hier,' vertelde ik haar.

Ze knikte en samen snelden we het toilet uit. Via de achterdeur kwamen we uit in een afgelegen straatje. We konden de auto niet meer gebruiken of ophalen. Ik greep Lily stevig vast. We zaten nu allebei onder het bloed. Die omhelzing was alles wat ik haar nu kon geven.

'We moeten rennen,' zei ik en keek haar doordringend aan. Ze knikte en dat deden we. We renden en het baarde me zorgen dat ik Lily zo makkelijk bij kon houden. Dat zou niet moeten! Ze zou ver voor me uit moeten schieten, maar ze was niet sneller dan ik en ik niet langzamer dan zij. Ik hield mezelf voor dat het kwam omdat ze gewond was. We zouden het snel moeten verbinden, maar eerst moesten we een veilige plek weten te vinden en ons op te frissen, zodat we toonbaar op het vliegveld zouden kunnen verschijnen. Een vermomming zou ook geen slecht idee zijn. Ik keek vaak over mijn schouder. We werden niet op onze hielen gezeten en ik begon te hopen dat we ze hadden afgeschud. Fijn dat we die zender kwijt waren.

Lily begon te hoesten en snikte: 'Ik kan niet meer, ik moet rusten, heel eventjes maar.'

Ik knikte en trok haar een steegje in. Het was al aan het schemeren en het steegje liet de zonnestralen die nog over waren niet toe. Er stonden vuilnisemmers en hier en daar zat een deur in de muur, wat waarschijnlijk de achteruitgangen waren van minder chique restaurants.

Lily zakte in elkaar. Ik hield haar vast en probeerde haar te sussen. Ze ademde zwaar. Ik scheurde een stuk van mijn blouse, terwijl zij tegen me aan leunde. Ik verbond haar hand.

'Carter...' zei Lily schor.

'Ja?' vroeg ik, mijn keel was dik door mijn ingehouden tranen. Ik vond het vreselijk haar zo te zien. In zoveel pijn.

'Dank je.' Ze had haar ogen gesloten.

Ik slikte en kuste haar wang.

'Weet jij hoe Azië er uitziet?' vroeg ze.

'Groen,' antwoordde ik uit gebrek aan meer kennis. 'Enne... de zon schijnt er meestal, en je bent daar vrij. Je zult niet meer gevangen zijn,' probeerde ik haar op te vrolijken.

Ze zuchtte verlangend.

'Dat moet fijn zijn, denk je ook niet?' vroeg ze.

'Ja, heel fijn,' knikte ik.

Ze begon weer te hoesten, het hield langer aan deze keer en hulpeloos klopte ik op haar rug.

'Carter...' zei ze weer. Haar toon was indringend, alsof ze nog zoveel wilde zeggen, maar het niet over haar lippen kon krijgen en toen zag ik waarom. Het bloed op haar gezicht was niet alleen van haar handen. Ze hoestte het op. Ik greep haar vast.

'Lily!' riep ik in paniek.

Wat moest ik doen? Wat moest ik doen! Ze hoestte weer en dit keer kwam er een golf bloed mee en ik vervloekte elke wetenschapper die ooit iets onnatuurlijks in haar lichaam had gespoten, verdoemde ieder persoon die naalden in haar had geprikt. Ze keek me recht aan, haar ogen zo helder groen, terwijl het rode bloed langs haar lippen liep, dat ik tevergeefs probeerde weg te vegen.

'Carter...' zei ze weer. Dit keer klonk haar stem anders. Glimlachend bijna, liefdevol en vredig en het maakte me bang. Toen rolden haar ogen weg, sloten haar oogleden zich en werden haar ledematen slap. Lily verloor haar bewustzijn.

'Lily, Lily!' Ik weet niet hoe vaak ik haar naam schreeuwde.

Ik schudde haar zachtjes door elkaar, probeerde haar te wekken, maar niets hielp. Ik hield haar op haar zij, zodat ze niet in haar eigen bloed zou stikken en ik wist dat er niets anders op zat: ik haalde mijn telefoon uit mijn zak, belde het alarmnummer ,vroeg naar een ambulance en gaf onze locatie door.

Het duurde niet lang voordat ik de sirenes hoorde. Al die tijd zat ik geknield naast Lily en fluisterde haar dingen toe, voor het geval ze me kon horen. Dat ik van haar hield en dat het allemaal goed zou komen, ook al geloofde ik het zelf bijna niet. De ambulance parkeerde voor de steeg, omdat deze te smal was om erin te rijden. Twee broeders kwamen met een brancard aangesneld. Ik had nog niet door gehad dat de tranen inmiddels vrijelijk over mijn wangen liepen. De broeders haastten zich naar Lily en legden haar op de brancard en begonnen in allerlei medische termen te praten, die op dat moment niet tot me doordrongen.

'Jongeman, wat is er gebeurd?' Ze schudden me zachtjes door elkaar.

Mijn mond opende zich en ging weer dicht, en ik huilde alleen maar. Wat moest ik zeggen, wat kon ik zeggen. Was er nog hoop dat ik Lily uit deze immens trieste situatie kon redden? Wat moest ik vertellen en wat niet? Ik kreeg geen woord over mijn lippen.

'Hij is in shock,' zei de andere broeder, terwijl ze Lily met brancard en al omhoogliftten.

In shock? Ik probeerde op te staan. Ik moest mee, natuurlijk moest ik mee. Gelukkig leken de broeders er net zo over te denken. Ze hielpen me zelfs in de ambulance en plantten me op een stoel, waarna ze allemaal draadjes aan Lily's lichaam vastmaakten. Ik hield mijn ogen strak op haar gericht, wilde haar aanraken, maar durfde het niet, bang dat de twee mannen me een standje zouden geven. Er was een piepje te horen van een van de apparaatjes waar Lily's lichaam aan bevestigd was, de broeders mompelden iets en de sirene ging weer aan. Dat kon geen goed teken zijn.

Op weg naar het ziekenhuis had ik geen woord gezegd, er werd mij ook niets gevraagd. Pas toen we arriveerden en Lily op de brancard werd weggereden, vond ik mijn stem terug.

'Wacht! Wacht! Ik wil mee! Ik wil bij haar blijven!' riep ik uit. Een zuster of een dokter, ik had geen idee, met een vriendelijk gezicht nam me bij mijn schouders en suste me.

'Je mag mee. Kom maar,' zei ze kalmerend. Even was ik bang dat de mensen om me heen geen artsen waren, maar wetenschappers.

Ik werd bij mijn arm vastgehouden, we liepen achter de brancard van Lily aan. Ik hoopte dat alles goed zou komen en dat we op weg waren naar de spoedeisende hulp.

We moesten een snelle looppas aanhouden om de broeders bij te houden. Ze reden Lily een van de kamers binnen en leken haar daar te installeren, maar plotseling veranderde de scene. Een van de machines begon heftig te piepen, niet zoals in de ambulance, maar een piep die paniekerig aanhield.

'We hebben geen hartslag,' ving ik op.

Het werd al gauw een en al bedrijvigheid. Ik werd op een stoel in de gang gezet. Iedereen richtte zijn aandacht op Lily. Ik wilde schreeuwen, maar er kwam geen geluid over mijn lippen. Er stroomden tranen uit mijn opengesperde ogen toen ik zag dat ze twee platen op haar borst legden om haar hart weer op gang te krijgen. Haar lichaam schokte. Ik dacht aan de stok van Joan. De deur ging dicht en de afschuwelijke geluiden verstomden enigszins, maar ik liep naar de deur en keek door het kleine raampje. Ik zag jammer genoeg vooral de ruggen van de dokters maar af en toe ving ik een glimp op van Lily's rode haar of bebloede kleding. Mijn mond had een strakke lijn gevormd en bijna ongelovig keek ik toe, zonder enige verdere emotie op mijn gezicht volgde ik hoe een aantal onbekende mensen het leven van het meisje probeerde te redden van wie ik zoveel hield. Haar lichaam bleef omhoogschieten, met elke stroomstoot die ze kreeg.

Toen werd alles stil. De mensen stopten met bewegen. Het drong eerst niet tot me door. Waarom? Waarom hielpen ze haar niet, waarom deden ze niets! Ik snapte het pas toen een van de artsen op de klok keek en zei: 'Tijd van overlijden: achttien uur zevenenveertig.'

Ze trokken de gordijnen om het bed dicht en ik strompelde van het raam weg.

Elke vezel in mijn lichaam schreeuwde en toen − zonder dat ik het besefte − ik ook. Ik zocht steun bij de muur, leunde er met mijn voorhoofd en mijn vuisten tegenaan en gaf de muur een stomp.

'Nee! Nee! Nee!' schreeuwde ik.

Ik voelde hoe twee armen zich om me heen sloten. Ik voelde het, maar besefte het niet en huilde alleen maar. De zuster die zich over mij ontfermde, kon me op dat moment geen troost bieden. Niemand kon dat. De wereld was veranderd, mijn wereld was veranderd. Ze was dood. Lily was dood.

22. Keuze

'Je leek haar goed te kennen,' zei de zuster nogmaals.

Ik staarde voor me uit, gaf weer geen antwoord. De vrouw had een oneindig groot geduld, dat moest ik toegeven. Al een uur lang probeerde ze iets zinvols uit me te krijgen. Ik had amper twee woorden gesproken. Het was vreemd hoe het gevoel overheerste dat dit niet echt gebeurde. Net zoals met mam, weigerde ik het te geloven. Nog vreemder was misschien wel dat ik niet meer kon huilen, alleen maar staren. Ik had het idee dat ik ondanks alles toch nog helder kon denken.

Ze wilde weten wie Lily was, wie ik was en wat er was gebeurd. Ik had nog niet kunnen antwoorden. Ik wilde slechts één ding: 'Ik wil haar zien,' zei ik.

De zuster zuchtte even, maar knikte instemmend.

'Kom je daarna terug om te praten?' vroeg ze.

Ik knikte half, maar ze nam er genoegen mee en leidde me naar de kamer waar Lily nog steeds was. De zuster schoof de gordijnen opzij en daar lag ze.

'Ik geef je even een momentje,' zei ze toen ze mijn gezicht zag, en ze liep weg.

Ik schoof naar de rand van het bed, had het gevoel dat ik zweefde en dat ik weer zou gaan overgeven. Lily was nog niet schoongemaakt en zat onder het opgedroogde bloed. Waarschijnlijk zou dat pas gebeuren na het onderzoek naar de doodsoorzaak. Ik slikte en pakte haar koude, levenloze hand en drukte mijn gezicht in haar haren. Ik mompelde haar naam en begon weer te huilen. Ditmaal zachtjes.

Ik zat daar ruim een kwartier over haar heen gebogen voordat mijn tranen eindelijk begonnen te drogen. Ik keek naar haar gezicht en veegde wat bloed van haar wang. Tot mijn verbazing lag ze er in feite heel vredig bij. Het was alsof er een vage glimlach rond haar lippen speelde, maar dat kon ook mijn verbeelding zijn geweest.

Ik wist dat ik nu voor een keuze stond. Ik kon de zuster Lily's naam geven en de wetenschappers zouden geen keus hebben en zich moeten melden, en misschien was er dan iemand van hen die aansprakelijk gesteld zou worden voor haar dood. Maar de wetenschappers zouden zich er ook op een of andere manier uit kunnen kletsen. Bijvoorbeeld acteurs inhuren die als Lily's ouders haar lichaam op zouden komen eisen om er vervolgens in te gaan snijden om te zien waar het fout was gegaan. Haar lichaam zou dan alsnog geen rust krijgen. Of ik zou hier nu weg kunnen lopen. Lily achterlaten als het meisje zonder naam, die niets of niemand had. Geen fatsoenlijke begrafenis ook, maar ik vroeg me af of ze die zou krijgen als ik voor de eerste optie koos. Ik rechtte mijn rug en had mijn beslissing genomen. Ik kuste Lily's voorhoofd voor de allerlaatste keer.

'Ik hoop dat je nu eindelijk vrij bent,' fluisterde ik haar toe.

Het was pijnlijk om mijn rug naar haar toe te keren en haar achter te laten in de kille kamer en ik kon alleen maar hopen dat haar geest op een betere pek was nu. Ik liep de kamer uit en mijn ogen zochten de hal door. Er liepen een paar artsen en de zuster die op mij wachtte, stond verderop met een van hen te praten en merkte mij niet op. Ik keek even naar haar en toen de kamer in waar Lily lag. Ik draaide me om, duwde de deur open en liep de hal uit, naar buiten, weg van het ziekenhuis.

Buiten was het inmiddels donker. Er liepen mensen, ze lachten en voor mijn gevoel zou dat niet moeten. Ze zouden niet moeten lachen, niet gezellig uit moeten gaan, geen pizza moeten halen. Lily was dood. Het leven was gestopt. Waarom ging het dan toch door?

Als een geest liep ik over straat. Sommige mensen staarden me na en in een etalageruit zag ik waarom. Ik zag er nog steeds niet uit: blouse gescheurd, onder het bloed, mijn haar warrig en mijn ogen dik van het huilen.

Het duurde even voor ik me kon oriënteren. Waar was ik en hoe zou ik mijn auto terug kunnen vinden? Ik was niet meer bang dat ik gevolgd zou worden door de wetenschappers. Ik wist dat als ik Lily's naam had opgegeven, ze gekomen zouden zijn omdat ze geen andere keus hadden, maar ik wist ook dat ze haar niet zouden komen halen nu ik hun naam en adres niet had doorgegeven. En andersom: Joan en haar medewerkers zouden mij ook niet aangeven als de jongen die het meisje ontvoerd had of iets dergelijks. Het leek me onwaarschijnlijk dat zij in verband gebracht wilden worden met de dood van Lily.

Ik vroeg me af of Lily haar tijgervorm alsnog aan zou nemen nadat haar 'mensentijd' verstreken zou zijn. Ik kon me er niet druk over maken. Het waren mijn zorgen niet meer. Het zouden mijn zorgen nooit meer zijn.

Ik was een beetje bang om terug te gaan naar het restaurant en misschien was het ook niet het verstandigste om te doen. Ik viste mijn telefoon uit mijn zak en met een diepe zucht toetste ik een nummer in.

'Arthur?' vroeg ik toen ik hoorde dat er opgenomen werd.

Het bleef stil aan de andere kant van de lijn. Toen brak ik en begon te snikken: 'Arthur, kun je me alsjeblieft op komen halen?'

Nog steeds stilte, maar toen hoorde ik iemand zijn keel schrapen en ik hoorde Arthur's stem: 'Waar ben je?'

Ik gaf hem door waar ik was en veegde mijn tranen af. Ik schaamde me niet eens.

'Oké, ik kom eraan,' zei hij.

Ik hing op en ondanks alles zou Arthur komen. Misschien was er nog hoop voor onze vriendschap. Ik had zoveel aan hem te danken. Ik zou voortaan een betere vriend voor hem zijn.

Het duurde niet lang of Arthur kwam aanrijden in de auto van zijn ouders. Hij stapte uit en staarde me aan.

'Wat is er met jou gebeurd?' Hij klonk oprecht bezorgd. Ik moest er erger uitzien dan ik had gedacht.

'Lang verhaal,' zei ik.

Hij knikte, vroeg niet verder, want het was duidelijk wat ik wilde.

'Kun je me naar huis brengen?' vroeg ik.

Hij knikte weer en ik klom bij hem in de auto. Hij startte de motor. We zeiden de hele weg niets. Alleen toen hij voor mijn huis stopte, deed hij zijn mond open.

'Bel je me morgen?' vroeg hij.

Ik knikte doods en opende de deur.

'Bedankt,' zei ik.

'Hou je taai, man.' Hij gaf me een vriendelijk stomp tegen mijn schouder.

Ik knikte weer, stapte uit en liep naar de voordeur. Ik wilde maar één ding: op bed liggen en er voor een lange, lange tijd niet uitkomen. De deur werd opengedaan voordat ik dat zelf kon doen en ik keek in het grimmige gezicht van mijn vader.

'Wat doe jij hier?' vroeg hij.

'Pap, alsjeblieft, niet nu,' zuchtte ik.

Ik voelde de tranen weer opkomen.

'Ja, wel nu! Wat zie je eruit! Je school heeft gebeld, je bent weer eens niet op komen dagen en...'

'Pap! Niet nu!' brulde ik vermoeid.

'Je komt hier niet meer in!' hield mijn vader voet bij stuk.

Ik zag Tyler in de gang, die protesterend 'Pap!' schreeuwde.

'Ik wil het niet horen!' brulde mijn vader terug. 'Jij naar je kamer en jij,' zijn vinger bleef trillend op mij rusten, 'jij bent kennelijk oud en wijs genoeg om voor jezelf te zorgen, jij bent hier niet meer welkom.' En daarmee werd de deur dichtgesmeten.

Ik staarde naar mijn huis en strompelde naar achteren. Ik keek naar mijn slaapkamerraam, wetend dat de tekening van Lily daar lag.

23. Norah

Ik belde ongeduldig voor de tweede keer aan.

'Ik kom al!' hoorde ik Norah haastig roepen.

Toen ze de deur opende, riep ze verbijsterd uit: 'Carter!'

Drijfnat van de regen, die met bakken naar beneden kwam, keek ik haar hulpeloos aan en snikte zachtjes: 'Norah.'

Ze stoof op me af en sloeg haar armen om me heen toen ik ineen dreigde te zakken. Ik greep haar vast alsof ze een reddingsboei was.

'Norah, ze is dood. Ze is dood,' snikte ik. Ik greep naar mijn hoofd en schreeuwde hartverscheurend en zakte op mijn knieën.

'Ze komt niet meer terug,' zei ik.

Geschokt zakte ze naast me neer, geen idee waar ik het over had, maar ze zag aan alles dat het niet goed met me ging. Ze hield me stevig vast en wiegde me een beetje heen en weer in een poging me te troosten. Zonder het te merken, huilde ze zachtjes met me mee.

'Het komt wel goed, het komt allemaal wel goed,' fluisterde ze me toe.

Epiloog

'Lily!' riep ik, terwijl ik keek hoe ze als een blij hondje door het park heen holde.

'Ga je niet te ver? Ik wil je kunnen blijven zien!'

'Ja, pap!' gilde ze vrolijk terug.

Ik ging tevreden op een bankje zitten. Het was donker en de hemel onthulde de sterren en de maan al.

'Papa kijk eens wat ik gevonden heb!' Mijn zesjarige meisje sprong op mijn schoot en liet me een rode roos zien.

'Hij is prachtig,' bevestigde ik.

'Ik heb hem geplukt!' zei Lily trots.

Ik glimlachte en streelde haar haartjes, die – net als haar ogen – mijn kleur hadden.

'Je houdt van rode rozen,' constateerde ze.

'Dat doe ik inderdaad.'

'Waarom?' vroeg ze bijdehand.

'Omdat het liefde symboliseert,' antwoordde ik in gedachten verzonken.

Lily, die te jong was om te begrijpen waar ik het over had, was alweer afgeleid door iets anders.

'Je moet hem aan mama geven, die houdt ook van rozen!' zei ze en drukte de bloem in mijn handen. Ze sprong van mijn schoot en draaide een rondje.

'Wat vind je van mijn nieuwe jurk, papa? Iedereen op school vond hem mooi!' straalde ze.

'Hij staat je enig,' complimenteerde ik haar. Ze giechelde gevleid en sprong terug op mijn schoot. Zo zaten we een tijdje omhoog te staren.

'Papa?' vroeg Lily, terwijl ze met haar vinger in de lucht tekende.

'Ja?'

'Hoeveel sterren zijn er?'

'Te veel om te tellen,' antwoordde ik haar.

'Hoe komen ze daar?' vroeg ze nieuwsgierig.

Ik hield haar stevig vast. Ik wist wat ik moest antwoorden: 'Het zijn de tranen van de maan.'

Lily was even stil. Waarschijnlijk om deze verklaring te overwegen.

'Waarom is de maan verdrietig?' Haar grote blauwe ogen vroegen mee.

'Het zit zo: elke nacht kijkt de maan naar de aarde en ziet ze hoeveel pijn mensen elkaar aandoen.'

Lily keek bedrukt. Ik was opgelucht te kunnen vertellen dat het verhaal ook nog een goeie kant had: 'Maar soms raakt een van haar tranen de aarde en dan weet je dat ergens op de wereld iets goeds gebeurt.' Ik slikte even.

'Wanneer is dat?' vroeg Lily.

'Als je een vallende ster ziet,' antwoordde ik.

Ze keek bedenkelijk en toen kreeg ik een kus op mijn wang.

'Waar heb ik dat aan verdiend?' vroeg ik glimlachend.

'Ik zorg ervoor dat haar tranen de aarde raken!' En ze gaf me nog een kus.

'O, dus alleen maar omdat jij zo nodig een vallende ster wilt zien?' vroeg ik grappend en kietelde haar.

'Nee! Pap!' lachte ze.

'Hier zijn jullie! Ik heb jullie overal gezocht!'

Ik glimlachte bij het horen van haar stem en stopte met het kietelen van Lily. De laatste verstopte zich achter mijn rug toen ik me omdraaide.

'Nee, mama, ik wil niet naar bed!' gilde ze.

'Ik denk dat het voor jou laat genoeg is geworden,' zei Norah quasi streng.

'Van papa mocht ik nog naar het park!' protesteerde Lily.

Ik zwiepte haar omhoog.

'En waar zijn we nu dan geweest?' vroeg ik grijnzend.

Ik stond op en streek over Norah's wang. 'Voor jou,' zei ik en hield haar de roos voor.

'Oh, Carter,' grijnsde ze, terwijl ze hem aannam.

Lily giechelde en ik knipoogde naar haar.

'Gaan we morgen naar oom Arthur?' vroeg Lily.

'Misschien,' antwoordde ik.

Ik sloeg een arm om Norah heen en droeg Lily met de andere. Ze legde haar slaperige hoofdje op mijn schouder.

'Papa, kijk!' riep Lily.

Ik draaide me om, om te zien waar ze naar wees.

Nog net voordat hij verdween, zag ik hem: een vallende ster.